大展好書 好書大展

序 言

深夜時分，從補習班下課的小學生搭乘電車的情景，在東京變得一點兒也不稀奇。自從上明星學校的風氣蔚為熱潮以來，現在一般人都認為要進入明星學校必須從小學四年級開始上補習班，這可能就是大家一窩蜂上補習班的原因吧！現在這個時代已成了將上補習班視為理所當然的時代，即使不升學也不例外。

但筆者認為，如此從小便逼小孩用功，或許能使小孩成績較好，但以長遠的眼光來看，這對小孩絕無好處。目前我擔任專門函授指導考生的「雅典函授讀書指導補習班」名譽班主任，在輔導大學考生的個案中，有不少是「不知道如何用功」的。

另外，常見應考生從小上補習班，認真用功，卻為了「如此用功成績仍好不了」而傷腦筋。為何會發生這種後果呢？原因便是在小學時期沒有順利完成我所說的「課業輔導」。

由於上補習班用功是「填鴨式教育」，是被動用功。但是用功其實是一種自動自發、自己動腦理解所學內容並切身體會的主體行動。以前的初中入學考試、高中入學考試，只要在有限範圍內學習就可以考上，但大學入學考試就不是如此簡單。而且，從小為了分數而努力讀書，到了國中、高中，做起功課便氣喘如牛了。

所以，小學時期最重要的是建立「讀書的基礎」，亦即培養自動用功的習慣，切身學會課業進步所需的知識。例如：數學這一科是大家在分數上最易受挫的科目，父母只要稍加注意，稍微提醒小孩一下，就可以度過難關。

此外，在此要強調的是：培養「讀書的基礎」和父母親有很大的關係，因為無論是學校或補習班，都無法替小孩養成自動用功的習慣。況且，能配合小孩子個性，讓他輕鬆讀書，也只有和小孩子生活在一起的父母親才有這種能力。

在家庭中順利推動「課業輔導」便是本書的目的，而本書的內容和以前我所寫的『小學生用功術』有關聯。在『小學生用功術』中有一個目的，就是替小孩建立一個不必叨唸他「快用功」，小孩也會自動用功的環境，進而啟發小孩的能力，並藉著合理的用功，使小孩能找回讀書以外的自由時間。

這個目的在本書中亦未改變，因為用功固然重要，但在小學時期，為了使小孩頭腦發達，「遊戲」也是很重要的。

所以，只要「課業輔導」得當，學習的成績自然會進步，進而能通過學力測驗，在進入更高一級的學校後，「課業輔導」所發揮的效果也會愈大。讀書就跟馬拉松賽跑一樣，希望各位能活用本書內容，使我們的小孩從今以後不必再因讀書而受苦。

多湖 輝

目錄

第2章 養成讀書自信的「課業輔導」
——現在還來得及，治療討厭讀書的方法

第3章 使小孩頭腦全面回轉的「課業輔導」
——啓發小孩能力的腦部刺激法

第4章 使小孩成績扶搖直上的「課業輔導」
——千萬不能失之交臂的用功法要訣

第1章 使小孩自動走向書桌的「課業輔導」

不必父母在一旁嘮叨「快唸書」，也能使小孩自動用功的方法

1 「課業輔導」的第一步便是養成小孩自動走向書桌的習慣

考取一流大學，必須能做好課業輔導

在一般人印象中，通過一流大學入學考試的學生都是從小抑制想玩的心態，死K書的高材生。但實際上那種死K書的學生屬於少數。由於我擔任由東大學生函授指導考生讀書方法的「雅典函授讀書指導補習班」名譽班主任，有機會和擔任該補習班講師的東大學生們談話，他們皆異口同聲表示，在中小學時忙著玩耍及參加社團活動，根本沒有多少時間可用功。

的確，依我看來很多個案都顯示，從小爲了升學考試，每天用功好幾個小時直到深夜，爲了考試而接受填鴨式教育的小孩們，早一點的在進入國中後就被功課逼得喘不過氣來，成績乏善可陳。

那麼在小學時期完全不必介意課業，不管成績好壞也可以嗎？絕對不是如此。預先建立好「讀書基礎」，以便小孩在升學後不會因讀書而感到痛苦，這比什麼都重要。這就是我所說的「課業輔導」。

某英語補習班每年都培育出許多東大入學考中錄取的學生，該補習班主任如此表示：「能否考上一流大學，端看有無養成用功的習慣。沒有養成用功習慣的學生，無法每天步步爲營的累積知識，所以即使是頭腦再好的小孩，要考上一流大學還是要用功。這種用功的習慣，必須從小學時期便開始培養。

先前提到的東大學生們，在中小學時期雖然沒被逼著「用功、用功」，但實際上他們早有一套和用功習慣有關的「課業輔導」。所以只有在立志考上大學，有心想「好！開始用功了！」時，才能有效的一天用功八～十小時，而把必要的知識塞入頭腦中。

所以本章要先談到在「課業輔導」中最重要的一點——如何養成用功的習慣。當用功成爲習慣後，即使不在嘴巴上叨唸「快用功」，小孩子也會自動走向書桌。

即使對讀書提不起勁的小孩，每天讓他坐上書桌十分鐘也好

俗話說得好：「即使可以把馬帶至水邊，也不能勉强馬喝水。」小孩子讀書也是一樣，即使讓小孩子坐上書桌，除非小孩願意，否則是無法要他用功的。

即使如此，事實上從心理學的觀點來說，讓小孩坐上書桌絕不會白費心機。大人也經常會碰上工作不起勁的日子，但一旦上了辦公桌，幹勁就來了，不知不覺便埋頭於工作中。也就是說每一個人只要造成要做某件事的情境，就能真正進入狀態。

所以，即使根本提不起勁的小孩，也要讓他養成每天一次坐在書桌前的習慣。剛開始時沒有真正用功也無妨，但要和小孩約法三章，從學校回來後一定要在書桌前坐十分鐘。這個習慣周而復始，不知不覺就開始真正用功了。所以剛才那句話也可以反過來說：「除非把小孩帶至水邊，否則很難讓其想喝水。」

即使只讓他說出在學校所學的東西，也是很好的「用功法」

有很多父母因在意小孩的成績，而考慮「那家補習班較好？」「在家中應該用功多久？」其實在這之前，有件事被忽略了，那就是小孩子每天是如何聽課的呢？因爲小學時期只要在課堂上仔細聽講，考試時要考到平均分數一點都不難。反過來說，若判斷小孩成績不好是因爲上課不專心，大概也錯不了。

但即使父母逼小孩「上課要專心聽講」，效果也不好，因爲小孩並不了解「專心聽講」的意義。

這時不如讓小孩説出每天所學的內容，如果小孩事先知道回到家母親一定會問上課內容的話，那麼不管情願與否，小孩都會認真聽老師上課。此外，讓小孩説出上課內容也是很好的復習，可藉著回想當天所學的東西，使記憶更確實。

這時可利用機會告訴小孩「這個地方再查一下」，由於要查的是小孩自己所講的事，翻開教科書或參考書，讀書的效果也比平時更高。

小孩子的學習計畫以一科二十分鐘為標準

我想請問一下，假定學習同一科目，一天學五個小時或一天學一個小時五天學完，哪一種方式較有效？前者稱爲「集中學習」，後者稱爲「分佈學習」，一般來説分佈學習較有效。在某次的作業實驗上，將同樣的作業分爲二十次，前者將二十次集中在一次做完，後者一天做一次分二十天做完，結果確認後者的效率高於前者三〇％。

學習同樣一件事情，以哪一種方式較易記憶？這項實驗已被Yorst所確認。要學習某課業時與其從頭至尾不休息，不如中間休息幾次，分佈學習，如此可使記憶內容不致重疊，正確的加以記憶。這就是有名的「Yorst 法則」。

由此可見，讓小孩讀書時罵他：「才唸三十分鐘而已，要唸一小時才行。」這種方法是不太有效的。在小學中每一節上課時間爲四十五分，但考慮到小孩集中力的問題，我認爲在家讀書時應以二十分爲一個段落較爲理想。將一科目定爲二十分鐘，如此小孩就不必體會長時間讀同一科目的痛苦，不但能提高效率，更能使記憶確實。

飯前、飯後的一小時中，讀書效果不大

告訴小孩「吃飯時會叫你，就讀到那個時候吧！」「吃過飯別磨菇，快做功課」，「快做功課」似乎已成了媽媽的口頭禪，但是「飯前、飯後」這段時間，正是讀書效率最差的時段。

從生理學的觀點來說，吃飽時全身的活動能源集中在消化系統，因而忽略了頭腦的功能。而在空腹時就好像動物覓食一般，四處移動，此時人類的身心功能也集中在「尋找食物的行動」上。因此在飯前、飯後的一小時中，最不適合頭腦活動。

小孩子討厭讀書的理由很多，最大的原因之一便是即使讀了書效果也不好。不要說是小孩，任何人經過努力卻得不到效果，都會喪失幹勁的。

所以，最好能避免在飯前、飯後這段讀書效率低的時段做功課，讓小孩子好好休息，以便爲以後的工作充電，在效率上來說更爲有利。

即使讓小學生一天用功二小時以上，效果也不大

我常被問到「一天用功幾小時較好？」很多父母誤以為用功時間愈長成績愈好。事實上，即使是高中生，從學校回來後，在家中能集中精神用功的時間頂多為二～四小時，更何況是集中力不足的小學生？

他們頂多能集中精神用功兩個小時左右吧！即使讓他長時間用功，效果也不大，不但浪費時間，更造成小孩討厭課業。

反過來說，父母親若欣喜於「我家孩子可以一用功就好幾個小時」的話，未免高興得太早了。因為雖然小孩坐在桌上，但腦子模糊，主要的功課內容都沒有進入腦中。

讀書應該要質重於量，所以家長的責任便是提醒小孩提高集中力，以便在短時間內可以做完功課。儘可能使小孩早點脫離課業束縛，盡情玩耍、做想做的事，以擴大讀書以外的生活領域為要。

2 遊戲是使讀書順利的催化劑

用功後給小孩「最喜歡」的東西做為獎勵

每個時代都會聽到父母埋怨「我家小孩只曉得玩」。說不定對望子成龍的父母而言，遊戲是「大敵」，但其實小孩想遊戲是一件自然的事。我曾聽某補習班老師說過，在補習班的下課時間中，活潑遊玩的小孩，對功課也有很好的集中力，但不大玩且坐在位子上的小孩，對功課的意願低，成績也不太好。

因此，在家長的立場上，與其硬是不讓小孩玩，不如技巧活用小孩想玩的心態，使其用功，如此才是良策。

例如，以前我曾在別本書中看到，若有小孩想看的電視節目時，就規定節目開始前一小時或三十分爲小孩用功時間，如此可使小孩養成用功的生活習慣，也可提昇學習的意願。

如何引起一個人工作或讀書的動機，並使其熱中於所做的事情上，最單純而有力的原理，便是把「報酬」置於痛苦工作的前方。亦即，不管是多麼痛苦的工作，若在之前看到使自己非常快樂的「報酬」，就不會再把痛苦當痛苦了。小孩子也是一樣，若想到做完功課後就可以看到最喜愛的電視節目，即使是棘手的科目也不再感到痛苦了。

此外，所謂「目標梯度」便是在越接近目標時，學習曲線會急速上升。所以一想到電視的時間快到了，功課的內容便會不斷引進腦中。

以最近的情況來說，電動玩具或許可以成爲提高用功意願的「報酬」。若對小孩說「做完功課的話就給你〇〇」，雖然是單純的東西，卻是使小孩願意讀書的有效方式。

對無法專心用功的小孩，要求他讀書的「量」而非「時間」

當小孩腦中充滿了想看漫畫、想和朋友遊戲……等「想玩」的念頭時，用功起來一點都不起勁。這時有些媽媽爲了使小孩用功，便下令「再用功三十分鐘」、「做功課做到四點」，但這樣反而適得其反，因爲小孩心中只想著「爲何時間過得這麼慢」，對功課根本心不在焉，如此周而復始，無法對主要課業產生集中力，亦即無法養成在短時間內有效率用功的習慣，只會討厭讀書而已。

這時不要設定「用功時間」，而要設定「用功量」。例如給他固定的功課，像「做完一頁練習簿」或「一張講義」，而不是要求他「做三十分鐘的功課」。

當小孩子想到「做完這個就可以玩了」，就會把注意力鎖定在目標量上，亦即小孩會從「忍耐三十分」的消極態度轉爲「早點做完這個練習吧！」的積極態度上。因此小孩自然而然會集中於讀書上，努力以赴，不必父母在一旁嘮叨。

想玩時讓其盡情遊玩，產生對課業的集中心

有一種叫做「Open Plan Systen（開放教育）」的教育系統，根據此系統，無論是遊戲或讀書，一律由小孩自動訂定計畫，所以到學校來的小孩，每天早上都由自己訂定計畫，什麼時候該唸什麼科目，父母不必擔心由小孩自己訂定計畫，課業便無法順利進步。這個系統的效果不錯。

有趣的是，訂定計畫的方式幾乎都是在一天剛開始時盡情的遊玩，然後才開始唸書。這可說是直接顯示了小孩的心理。亦即一旦產生無可避免之「想玩」的衝動時，就必須先徹底的完成心願，等到覺得「玩夠了」時再用功，此時更能集中精神於課業上。

其中也有一天到晚只知道玩的小孩，但這種小孩過幾天後反而會一整天都用功唸書。

我曾參觀過英國夏令營，發現有的小孩一整年都不用功，只耽溺於遊戲，到了第二年卻一

「課業輔導」的原則①

建立課業基礎比眼前的分數更重要。

只要完成「讀書的基礎」，到了國中、高中學力也會增長。

父母親的誤解　做父母的是否誤以爲「提高分數是主要的」

整年都在用功，課業反而進步了。

因此，遇到小孩怎樣也不肯用功時，乾脆一律不說「快用功」這樣的話，這也是一種方法，因爲小孩只要讓他愛怎麼玩就怎麼玩後，自然而然就會產生「也該唸書了」的心情。所以，家長應有的心得不是「好好的唸書之後再去玩」而是「盡情遊玩後才來唸書」。

小孩先訂定遊戲計畫，再訂定讀書計畫

在讓小孩訂定暑假生活計畫時，你是否教他「每天早上要唸書」呢？筆者不是不了解父母害怕由小孩自己訂定計畫會忽略了課業的心情，但是當父母愈是叨唸「用功、用功」，小孩愈會受壓迫而覺得課業是沈重負擔，很難培養其自動用功的意願。

在此我想建議家長的是，讓小孩子訂定讀書計畫時，可先任其計畫遊戲時間。既然是遊戲計畫，小孩必定會很高興的加以訂定，一旦決定了詳細的遊戲計畫後，必然也會訂定讀書計畫。在想到遊戲時，相對的，讀書的意識自然也會進入腦中，既然是由自己所訂立的讀書計畫，小孩自然會自動遵守這份計畫。

至於每天要唸哪個科目？按照怎樣的順序唸？也由小孩自己決定較好。

當他將注意力集中在讀書以外的某件事時，不必要他犧牲那件事去用功

可能有的小孩根本無意用功，只熱中於集郵，組合模型，玩棒球等和讀書無關的活動上。有些母親爲了希望小孩能將熱中度的幾分之一轉到課業上，會沒收小孩所熱中的東西，或有時讓其中斷所專注的事情，逼其用功。

可是，當小孩本身埋頭於某事，想從中學得連大人都自嘆弗如的知識時，正是培養小孩自發性、持續力、集中力的難得機會。這個自發性、持續力、集中力在將來受需要所逼迫時，轉向課業的可能性極大。

反過來說，到了考試等必要時期，除非這個小孩擁有集中力，否則便無法像埋頭於一件有趣的事一般用心於功課上。不僅如此，在注意力散漫、做事只有幾分鐘熱度的小孩激增的現在，能專心集中注意力於讀書以外的任何一件事上，也是件值得高興的事。

我並不贊成當小孩熱中於某一件事情時，由於是讀書時間而被迫停止。這即使在他們熱中於電視或漫畫時也是一樣，你硬要逼小孩中斷，叫他用功，但小孩卻對這件事耿耿於懷，讀書也沒有效率。所以父母應有耐心，即使讀書時間到了也要在一旁觀察，等到告一段落時再讓他停止，開始讀書。

3 二十分鐘勝過兩小時的有效讀書時間使用法

零碎的讀書時間比大段落的讀書時間好

最近的大學考生愈來愈多，但卻往往陷入「該學的太多，不知從何著手」的震撼危機中。即使在唸書時也會心中不安，懷疑自己的方式是否不對，而無法集中於讀書上，即使長時間用功效果也不大，於是考試便考不好。這就是沒有完成我所謂的「課業輔導」，使得在小學時該做而未做完所產生的弊害如此越滾越大。

這個「課業輔導」最重要的是養成自動用功的習慣，以及一坐上書桌後頭腦就要能集中注意力讀書。若是心不甘情不願的讀書只會造成浪費時間的壞習慣，討厭讀書而已。

防止心不甘情不願的唸書方法之一便是訂定讀書計畫。尤其是「用功到幾點」的結束時間，由於這是小孩持續努力的目標所在，因此其決定方式具有很大的意義。

例如，把結束時間定爲「到四點爲止」「到七點半爲止」的大段落時間，這種大段落的時間同時也給人「四點左右」「七點半左右」的「模糊時間」的印象。很多「從一點開始」的會議，實際上開始的時間是一點半；或下班時間明明定爲「五點半」，但在五、六分之前就開始有人心不在焉，準備回家了。可見大段落的時區並無意義。

小孩子的讀書時間和這個完全相同。若將結束時間定爲「到四點」「到七點半」這樣的大段落時間，結束時間將變得馬虎，不但無法努力到最後，反而得過且過、浪費時間。

相反的，將讀書時間定爲「到三點四十五分爲止」或「到六點五十分爲止」這樣的零碎時間時，小孩對結束時間意識鮮明，其緊張感也會隨時間一直持續到最後。這種時間一定的模式被ＩＢＭ等一流企業所採用，是一種頗具效果的方法。

「一天十頁」比「一個月三百頁」更具效率

筆者在過去所寫的「自我暗示術」中曾提到自己的體驗：一個月必須寫三百張原稿，若按日分配改成「一天寫十張」的話，重壓感便會消失，心中也輕鬆許多，可加快運筆速度。若一天有五個鐘頭可以寫稿，進一步便可以說一小時寫兩張、三十分鐘寫一張，如此負擔便更輕了。透過將工作量細分化，使人不再感到工作量多，便可提高效率，我將這稱之爲「心理的除算」。

其實將這種「心理的除算」原理用於小孩的功課上也是很有用的。因爲對於精神尚未分化的低年級小孩來說，很難有長期的展望或前瞻性的看法，只能現實的看到眼前的目標而已。

有一個「朝三暮四」的故事，當早上給猴子三個果實，傍晚給四個果實，猴子因爲果實給少了而生氣，若改成早上給四個，傍晚給三個，猴子就非常高興。

我並無意將小孩當做猴子，但對還留有幼兒心性的小孩而言，即使全體數目一樣，但只要眼前多拿便認爲整數增加了，而覺得很划算。

考慮到小孩此種心理，若把三十頁的練習簿擺在眼前讓他做一個月，小孩子便會提不起勁，這實在不是一個好方法，不如應用「心理的除算」，讓他每天做一張，小孩只要想到「今天只要做這些就可以」，必定更容易著手開始用功。

不要讓他在讀書時間內考慮該從哪裡開始？該做些什麼？

遇到許多工作碰在一起時再考慮要從哪一項先著手，會意外的耗費許多時間。小孩子的功課有數學習題、復習國語、預習自然等，當天必須要完成的常有三、四種功課，若到了該讀書時還三心兩意，不知該先溫習還是先預習，如此只怕大半的用功時間都要泡湯了。

爲了防範這種時間的浪費於未然，應該在放學回家後開始用功之前，邊吃點心邊問他「今天要做什麼呢？」或者是建議他「先做數學習題好了」，只要小孩知道從何處著手較好，自然就會做好準備。

在讀書時間之前，讓他想好今天要先做哪一科，後做哪一科，如此不僅可透視所有的讀書科目，也不必在一開始讀書後還要掛心其他科目，擔心「啊！還有自然習題沒做」，可以讓他對正在唸的科目集中注意力。

如此每天做一點「訓練」，不久之後「課業輔導」便可發揮效果。

以鬧鐘限定時限，提高集中力

我一旦開始趕稿便會利用鬧鐘設定時限，之後再開始工作。當然鬧鐘要放在看不見的地方，如此一來便會緊張，想在鬧鐘響前完成工作。結果反而能得到意外的進展，常常能在時限一到，鬧鐘響前完成工作。這個方法也可以使用在小孩做功課上。

通常在家中讀書時只設定在幾點以前要完成幾頁，僅就時間或量的其中之一訂定目標，如此對讀書的緊張感不大。嚴格說來是迷迷糊糊的面對書桌，使得原本二十分鐘便可完成的事，卻拖到一、二個鐘頭。

但是，在驗收讀書成果的考試中，必須在規定的時間内準確無誤的做完，所以若目標爲提高成績，就必須養成仔細規定量及時間的習慣，而養成這種習慣的武器便是鬧鐘。

在做習題時，偶爾設定時限，試著做出「好！開始」的開始用功時間表也是很好的。這是一場能否在鐘響前完成的比賽，即使對考試感到棘手的小孩，在家中也可以很起勁的著手去做，如此一來，小孩們便可以在鬧鐘響前高興的發出歡呼「成功！」這種成功體驗的累積，也能培育出小孩喜歡讀書的精神。

4 提高用功集中力的「頭腦休息法」

即使時間很短，休息時也要離開桌子

若希望小孩能順利讀書，最重要的是規定休息時間的方法。讀書時的休息不用說當然是爲了消除頭腦的疲勞，緩和因用功而升高的心理緊張，提高接下來的用功效率。因此，休息的方法和讀書的方法是一樣重要的。

但是常有人誤以爲休息是浪費時間，而要小孩持續坐在桌邊二、三個小時，不讓他離開，甚至也有在休息中將點心及茶水送進小孩讀書的房中，不讓小孩離開書桌的例子。或許父母親認爲小孩一旦離開書桌便會失去幹勁，但像這種休息方法，好不容易規定了休息時間也等於沒休息一樣。

因此，以和用功時同樣的狀態休息，會把讀書時的緊張狀態延續到休息時，無法解除心理的緊張。

所以休息時要完全脫離讀書狀態，如此才能緩和心理的緊張。因此，不論是多短的時間，休息時也要以先讓小孩離開爲重點，例如到廁所、洗洗手、到陽台深呼吸等這些小動作也是很好的休息。

休息時間不要超過十分鐘

無論是讀書、工作或運動，剛開始時很難進入狀況，但不久便會上軌道，開始順利進行。亦即剛開始作業時需要一段準備時期。這不僅是調整生理的條件，其最重要的意義在於爲習慣及集中力做好心理的「暖機運動」。在心理學上稱爲Mental－set。

我們在開始工作或讀書之前會收拾一下桌上的東西，就好像棒球中藉著輕鬆的暖身操，做好心理準備，調整Mental－set。若這個Mental－set耗時太久，整體工作便毫無效率，事情也不盡理想。

做這種準備工作，就好像開始運轉讀書的引擎後，效率便不斷上升，但經過一段時間後便會厭煩而加重疲勞，使效率漸漸降低。這時若在適當的時機做適當的休息，便可再次提高引擎運轉的效率，但較難的是如何決定休息的時間長短。若休息時間過短的話便無法恢復疲勞，但若休息時間過長的話，便會使好不容易才完成的Mental－set崩潰，必須再從「暖機」開始，效率便會下降。

那麼小學生在讀書時需休息多久？我認爲從小孩身心發展的階段來考量，休息時間訂爲五分到十分鐘較爲適當，再長的話小孩的關心便會完全脫離課業。

當休息時間到了時，即使是在用功途中也要讓他休息

我知道有一家公司，當午休鐘聲一響時就切斷電源，停止所有的作業。據廠長表示，雖然也有工作未做完的單位，但使員工能有完全的午休是提高午後工作效率的秘訣。

的確，剛開始休息時對消除疲勞最有效，之後便漸漸失去效果。所以一到休息時間立刻停止工作休息，和整體工作效率的提高有很大的關係。

讀書也是一樣，一旦規定的休息時間到了，即使是在計算當中也要休息，這樣可改善以後的效率。

亦即遵守讀書時間表中的結束時間，比遵守開始的時間更重要。即使開始的時間稍微遲了一點，也要養成準確遵守結束時間的習慣，這樣即使開始時遲了些，也應該可以在時間內補回來。

即使讀書讀膩了也可以讓他換個科目繼續讀

常聽父母說：「我家的小孩很快就讀膩了，沒有辦法持續讀十分鐘。對待這種小孩父母不是採「不行不行，再唸五分鐘」的「持續强制派」，就是採「累了嗎？那麼休息一下吧！」的「一旦解放派」。再不然就是採對小孩言聽計從的「全面降伏派」，這一派名副其實的就是對小孩豎白旗，更談不上養成小孩讀書的習慣了。

但前兩派其實也是大同小異，「持續强制派」會使小孩更認爲課業是種負擔，而「一旦解放派」的「一旦」則會變成「到什麼時候都行」，無法使小孩回到功課上。

其實這些態度都有一個共同的錯覺，因爲小孩之所以「厭煩」「無法持久」，不僅是針對「讀書」這一件事情，主要是對某種同種類的作業感到厭煩。人都是這樣，要他持續做同樣的工作很容易就厭煩，這在心理學上稱之爲「心理飽和」，假如對同一種工作在心理上形成飽和狀態，之後再持續做同樣工作的話，便不再有幹勁了。

可是，即使同樣是緊張度强的作業，對性質完全不同的工作，心理不會達到飽和狀態，可產生新鮮感。即使已吃牛排吃到很飽，但還是可以再吃點心，同樣的情形也會在心理上產生。

因此，同樣是「讀書」，若一直做數學，小孩便會感厭膩，但若換了科目，做做國語或社會的話，就能充滿意願繼續唸書。當數學膩了時，便會產生讀書讀膩了的感覺，更會忽略了小孩的意願，喪失了用功良機。

當讀書時間快結束時，就預告他剩下的時間

德國心理學家Krepelin，讓小孩連續做單純的數學計算，並創出依其結果來判斷其性格的方法，這方法廣爲人知，稱之爲Krepelin測驗。從這項測驗中得知，任何人在工作剛開始及快結束時效率都會明顯上升，以運動來說，就像是最後衝刺一般。

小孩讀書時也是一樣，若技巧的給予最後衝刺，便能提高效率。例如當小孩的讀書時間快結束時，就向他預告「還剩五分鐘」，或「還有五題就做完了」，讓他知道所剩的題數。若是大人的話可自行判斷還有幾分鐘，還剩幾題，但小孩便難以做這種判斷，這時父母的「最後呼籲」可以爲小孩帶來最後衝刺的效果。

如此一來，在讀書的最後階段也會稍微專心一下，即使同樣讀三十分鐘也會有很大的效果。從頭到尾緊迫盯人並不是有效的方法。

5 隨著閱讀環境的改變，也可改變容易厭煩的小孩

為了讀書而整理出十全十美的條件恰好適得其反

據長年在預備學校擔任指導的老師表示，最近為了考上第一志願而努力用功的學生已經減少了，認為「只要考上就行，什麼大學都可以」，而早早就放棄的學生佔大多數。的確，為了考試讀書而使身心緊繃並不是件好事，但失去讀書意願的年輕人日漸增多，也是很遺憾的。

這樣的風氣可以能和他們從小就在富裕的環境中長大有關。因為要對讀書或工作產生幹勁，必須在本人感到自卑或飢餓，想彌補其缺陷的情況下才會產生，過度的滿足感是無法產生幹勁的。

同樣的道理，對小學生的「課業輔導」也是如此，若把小孩放進十全十美的環境中，常常會得到負面的效果。例如，在小孩的書房中，夏天開冷氣，冬天開暖氣，一切齊備，

設置一個小孩没有任何不滿的環境，小孩好像躺在沙發椅上，對讀書反而失去集中力。

若考慮到年紀大，就什麼都不讓他做，那麼很容易就變成痴呆，因爲在太舒服的環境下，人類的心理及身體都失去緊張，不再肯用腦。小孩子也是一樣，在十全十美的狀況下，坐在桌邊不是打瞌睡就是空想其他事情而無法專心用功。

因此，不要爲了小孩讀書而事事順應他的要求，只給他必要的東西，如此更可培養出幹勁。

為了集中精神讀書，坐硬的椅子較好

根據大腦生理學，要使頭腦功能活潑，精神集中，坐硬的椅子比軟的椅子更有效。例如我在難一點的稿子時，便會下意識的坐在榻榻米上思考，若是加了坐墊難免心情放鬆，很難將精神集中到該寫的主題上。學校的椅子幾乎都是硬木頭做的，目的就是要讓小孩在讀書時能集中精神上課。

小孩子的讀書時間最多以兩小時爲限，在這段時間中即使坐在硬椅子上也不會使身體感到疲勞。因此爲了適度的刺激或緊張感的持續而使頭腦功能活潑化，選擇坐一小時屁股就痛的椅子效果更好。所以爲了小孩讀書，與其選昂貴的椅子不如選效率高的椅子。

將小孩關在固定的房間中讀書效果不大

小孩上小學後給他一間獨立的書房是很簡單的事。但並不是說有了書房小孩就會讀書。

因爲，將小孩固定在一個書房中唸書，站在用功效率的觀點上反而產生反效果。人被關在特定的場所中，再怎麼樣的心理刺激也會慢性化，產生倦怠感使工作效率降低，偶爾換換地方，反而使讀書或工作更順利。我本身也是如此，並不僅固定在書房中工作，會隨當時的心情四處更換房間。

此外，根據記憶原理，改變場所也有另一大含意。律師渡邊剛彰先生同時也是個記憶術大師，他教我在記憶法律條文時將記憶和各個房間相連結，記住這一條是「在那個房間」背的，如此可使記憶的內容歷歷如繪。

在我所認識的東大學生中也有人爲了應考用功，而在家中四處移動的，小學生也是一樣，任何地點都可成爲提高效率的書房。

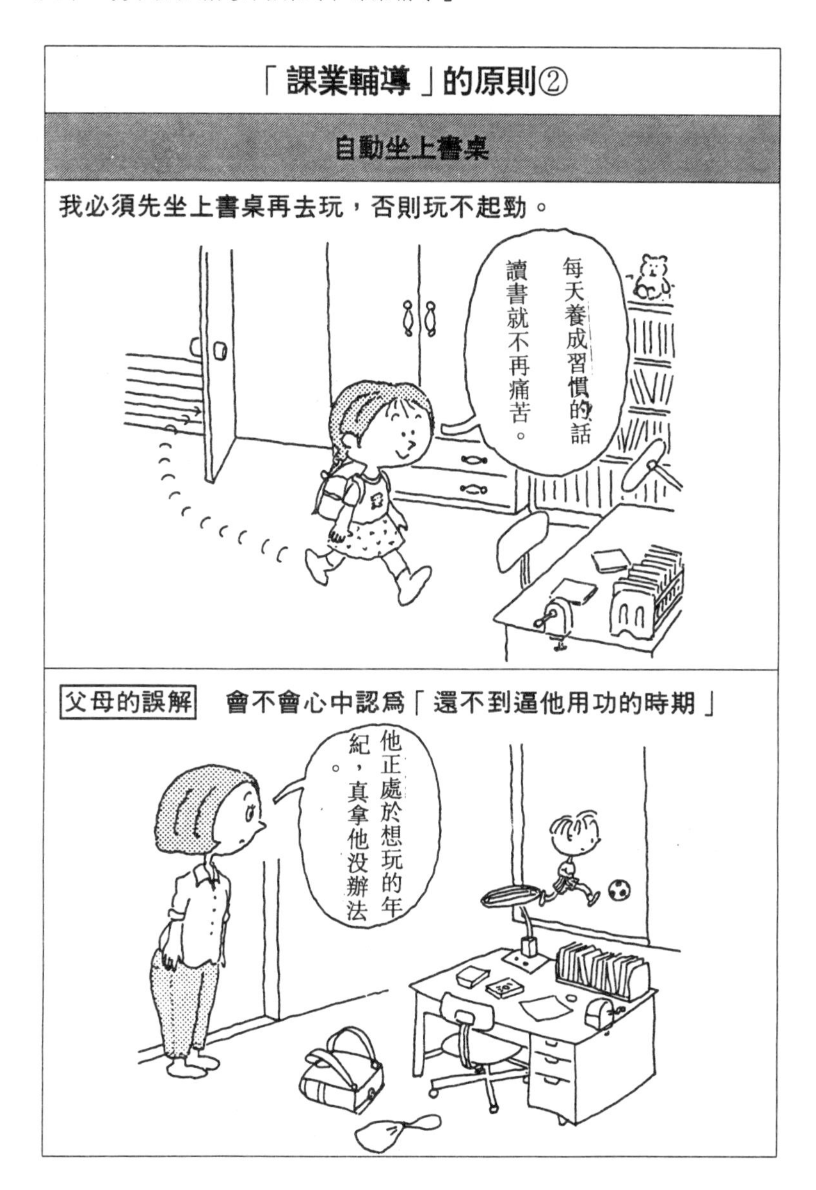
「課業輔導」的原則②
自動坐上書桌
我必須先坐上書桌再去玩，否則玩不起勁。
每天養成習慣的話讀書就不再痛苦。
父母的誤解　會不會心中認爲「還不到逼他用功的時期」
他正處於想玩的年紀，真拿他沒辦法。

在一個月、或一學期等告一段落時，換換書房擺設也不錯

人類有一種奇怪的傾向，在整理自己周圍環境時，連帶的也會整理自己的心底。例如除夕的大掃除，將家中內外整理好再迎接新年，這樣的心情是非常爽快的，甚至也有上班族在工作不順利時，會徹底整理自己的工作場所，可整頓心情，引出幹勁。

用功對於小孩而言是種永無止境的「工作」，爲了能長期用功，使散漫的心情煥然一新，隨時隨地改善自己周圍的環境也是好方法。例如，每個月改變一次書房中書桌、書櫃、扁額、月曆的位置。或一學期換一次位置，一個月或一星期大掃除一次，也可使讀書環境煥然一新。

不過，這種使氣氛一新的工作若做得太密集，將會使變化本身變得呆板，效果較差，但若選在適當的時機改變一下周圍的環境，便可刷新心情，使用功意願油然而生。

當讀書不起勁時，讓他徹底改變一下周圍的環境

當我在著手一件大事情時，會突然不想工作，這時我一定會整理書房，之所以如此做有二個理由。理由之一，在整理當中可將以前的工作與以後的工作完全隔開，做好全新的

心理準備。

另一個理由是，整理之後一旦開始工作，就不必被與工作無關的事所干擾，使以後的工作進行順利。

連大人的我都非得先整理書房或桌上的課本才能順利工作，更何況是還不適應用功方法，容易失去幹勁的小孩，他們或許更需做好心理、物理的準備。

當小孩無法集中精神讀書，總是漂浮不定時，就讓他暫時停止讀書，整理一下周圍使其失去幹勁的玩具或書本，這也是一種方法。與其對小孩說「快用功」，不如對他說「整理一下桌上東西」，如此更能引起小孩讀書意願，提昇讀書效率。

在唸書前讓小孩親自動手削削鉛筆，讀書的效率也會有所不同。

6 增加小孩頭腦運轉的筆記用具給予法

小學生較會使用大學筆記本

一般人都認爲小學時使用小筆記本，國中、高中時使用大筆記本，但我覺得應該相反。如果小學生使用小筆記本的話，對低年級小朋友而言，注意力將被集中在寫字上，而不是內容上，因爲寫小字對小孩而言是相當困難的。因此，漢字的練習本都是使用大格字的練習簿，練習本大一點小孩可寫得較順暢。

筆記本也是一樣，由於到了高年級時字變得小一點，重點就放在筆記的內容整理上。據說人類的大腦全面回轉一次約需五分鐘，若在這時要將進入腦子的內容完全整理到筆記上的話，小型筆記打開成二頁的長度是最剛好的長度。

若說小學生的筆記是雜記筆記的話，國中、高中學生的筆記就是整理用的筆記，因此在人體工學上來說，低年級時使用大型的大學筆記，高年級時使用小型的筆記是較合理的。

不曉得是由誰取的名字，但一般都將大型筆記本稱之爲大學筆記本，其實大學筆記本應該是給小學生使用才對。

低年級小孩用小一點的鉛筆可以加強用功

文具可以出乎意料的改變小孩讀書的效率。例如嶄新又長的鉛筆會降低小孩的讀書效率。

小學低年級的小孩，指尖運動比大人所想像的還要不純熟，因此必須掌握機會，訓練小孩指尖的運動。因此一般的長鉛筆小孩用不來，會妨害到筆記作業的純熟。

因爲小孩手指力量較弱，手又小，拿長鉛筆時勢必要抓住靠近鉛筆尖端的部分，這時上面突出較長部分的重量，將會使小孩失去支撐鉛筆的平衡。

小手使用長鉛筆時鉛筆尾端將會畫出大幅度，這種微小平衡上的差別，將會在長串的筆記作業中堆積成重大意義。

說來奇怪，同樣是以指尖來使用的日常用具中，有專爲小孩子準備的筷子，卻沒有賣符合低年級小孩所需的鉛筆。但是筆和筷子不同，筆會越用越短。因此父母親所使用過的舊鉛筆，才是「小孩用」的鉛筆，這種短小的鉛筆會成爲小孩更用功的隱形力量。

使用柔軟的鉛筆，訓練以良好的姿勢寫大字，可加快筆記的速度

將字寫得正確而漂亮，在任何科目中都對小孩成績有重大影響。但寫字的速度也可以大大左右小孩的成績，這一點不可不加以注意。

寫字的速度，亦即筆記速度，對人類思考活動而言，扮演著意想不到的重要角色。不管腦中的想法有多先進，若寫字速度太慢，手跟不上頭腦的動作，便無法整理思緒。

若讓小學生口述說明，大多可以講得頭頭是道，但若改讓其作文的話，就覺得扭泥不順或含意不明，原因可能是腦子好不容易整理出來的文章，到了書寫表態時總有阻礙，使得文脈不順暢。

爲了避免這種情況，必須從平時加快筆記速度，並訓練聽到一件事情時立即當場加以文章化的能力。最基本的便是在低年級時就要訓練寫字的速度，訓練的方法之一便是拿柔軟的鉛筆，以良好的姿勢寫大字。因爲軟的筆在紙上的滑行速度快，且大字一筆一畫皆清清楚楚，以這種情況書寫，不論手的動作多快，字也不會寫得不好，可以把讀到的文字寫下來。

有的小孩誤以爲可以寫細小漂亮的字，而使用硬鉛筆，但硬鉛筆對筆記速度卻有負面影響。

我本身都會事先削好一打左右的2B鉛筆，再一枝一枝使用，並在頭腦休息時再全部重削一次，這也是一種不錯的休息。

越早給他圖鑑或百科事典越好

前面提過爲了小孩讀書，只給他必須的東西就好，但圖鑑及百科事典是例外。即使是還不到使用圖鑑或百科事典年齡的小孩，也能給予積極而正面的影響。

只要在家中放著圖鑑或百科事典這一類的書籍，小孩便能自動引起讀書的動機。例如，我家裡的書房中放有好幾種圖艦或百科事典，住在附近的甥姪們還小時，他們使用的頻率比我高。當然最初的利用並不算利用，只因覺得「好像有什麼稀奇的東西」，而吸引他們進入書房中玩，但曾幾何時，他們也被有許多照片及圖片的書所吸引，往後只要有想查看的東西就會加以利用。

有趣的是，年紀小的小孩也模倣年紀大的小孩，煞有其事的翻開圖鑑。

在英國或美國的Open school（開放學校）中，老師不會做填鴨式的教育，而藉著自動讀書系統讓小孩們學習。在小孩周圍，所有教材應有盡有，隨時可以使用，不只是書，連幻燈片也可自由使用。

換句話說，老師不會影響小孩「逼他用功」，而是告訴他「隨時可以來查看」，如此伺機以待，小孩反而自動自發。就此意義而言，圖鑑或百科事典可說是引起自動學習動機的最好材料。

圖鑑或百科事典使用大人用的「正本」較好

雖然我們應該給小孩適合其發展階段的教材，不要勉强小孩學習，但像圖鑑或百科事典這種書籍，若分二年級用、三年級用，而年年換新，就有點誇大其事。

像這種書籍，我認爲一開始就給他大人用的較好，當然理由並不是因爲年年換新會造成浪費，而是因爲若每學年都更換圖鑑或百科事典的內容，小孩就會難以親近圖鑑及百科事典，無法將某課題出自圖鑑的何處詳細記在腦中。

相反的，大人用的圖鑑或事典，對單一事項的説明多半是有階層而詳細的，小孩子可以隨著想知道的程度分別加以應用。當然也不必更換，可以一本書使用到底。不同於小孩子所使用的，「正本」比「幾年級用」的書籍更能配合程度使用。

第2章 養成讀書自信的「課業輔導」

現在還來得及，治療討厭讀書的方法。

7 對棘手科目治療效果卓越的讀書忠告

即使是討厭的科目，只要從容易的地方著手，就能達到效果

每個人都有拿手及不拿手的科目，在小學生的課業來說，之所以造成棘手或不拿手的科目，與其說是本人能力不好，不如說是周圍大人沒有加以注意所致。這個棘手的科目若放著不去管他，時間一久就更難補救，若早期發現就著手整治的話，還有可能補救。

對棘手科目的治療，最有效果的是找回小孩的自信心，找回小孩的自信心在「課業輔導」中是很重要的。任何人在失去自信、精神萎靡後，就難以發揮本來的能力，甚至頭腦功能也會降低，所以爲了啓發小孩的潛在能力，必須讓他對自己有信心。

那麼對於有棘手科目的小孩，該如何對待他較好呢？有些母親認爲小孩是「因爲不用功才感到棘手」，因此強逼他讀那個科目。但是，小孩原本就不喜歡讀書，如今又被迫著去讀他討厭的科目，如此一來將使他更討厭那個科目。

這時候，讓他從最容易的地方開始，是最有效的方法。通常「討厭」的情感會因一部分的原因而擴大到全體。例如討厭數學，多半是因討厭圖形或不會計算，因爲對某一部分討厭，結果對整個數學都討厭。因此必須從某個地方砍斷對一部分討厭的感覺，最簡單的就是先排除心理的反抗。

雖然是討厭的科目，但若是很簡單的，小孩子就能毫無阻礙的著手去做。如此小孩就能產生「只要有心去做就做得來」的自信，也能產生正面效果，使棘手的意識或討厭的感情漸漸沖淡。

將不拿手的科目放在喜歡的科目後去做，效率可以提升

常聽媽媽抱怨「喜歡的科目會唸，但不喜歡的科目不論怎麼催都不肯唸」。在父母的想法中，不拿手的科目更應用功，但若要做得恰當，讀書的順序也要注意。

英國某一所學校採用一種開放計劃系統，每天早上小朋友進入教室後便自行設定課程表，可以任意由想讀的科目開始讀。因爲想做的科目多半都是喜歡的拿手的科目，小朋友很快便可完成，在得意洋洋的將成果拿給老師看後，便可緊接著做下一科。

一間教室中要有能教所有科目的老師，小孩子們即使有不拿手的科目，但在做完拿手

科目後，也會心情好而沾沾自喜，相較於一開始就著手做討厭的科目，先從喜歡的科目著手，效率會更好。

因爲即使在做棘手的科目，中途踢到鐵板時也不會趴在桌上露出氣餒的樣子，可以站起來到處走走，或偷看一下朋友的功課，轉換一下心情，之後再向問題進攻。若碰到因討厭那一科而將之棄之不管的話，老師要刻不容緩的問他：「那科怎麼辦？」

在日本學校，很難期待能有相同作風，但在家庭中則可充分活用這種方法。每天先從喜歡的科目開始讀，既然是喜歡的科目，小孩子讀書時就較不會產生反抗心。此外讀書順利，心情也會轉好，趁著這個機會再轉向棘手的科目，效率也能大幅提高。

成績落後時可嘗試「後向學習法」

小孩成績落後，或課業趕不上時，就不斷鼓勵他，設法讓小孩追上，這也是人之常情，但這種時候若只是一味前進，爲了要趕上進度而執意實施「前向學習」，將會使辛苦的努力得不到好的結果。

其實對成績落後的小孩而言，「前向學習法」只不過累積不懂的部分，並沒有多大的效用。他們所需要的是從現在不懂的部分一步一步往前回溯的「後向學習法」。

另外一個例子是由一位名叫Pressy的學者所創的「分枝學習法」。內容是當一個問題無法解決時，就要讓他做比這個問題更普遍的其他問題，如果連這個問題也無法解決的話，就讓他再做更簡單的問題，就好像由樹木的尖端開始，慢慢回到樹幹，是探查問題的根本部分，找出目前爲止問題之「病根」的方法。

若持續這種「後向學習法」，就會明白踢到鐵板的原因，將受挫的原因克服之後，就可以回到目前所做的地方了。

學期剛開始時的用功大多可讓小孩建立自信

我們常聽說內向的小孩轉校後往往會變成在別人面前積極說話的小孩，對公司內業務失利，無法產生幹勁的上班族，在換了一家新公司後會更勤快的工作。這可說是「抹消經歷」的效果。從心中消除過去自己差勁的形象。在新的環境中產生新的自我，新的幹勁。

和這個現象相同，小孩子在新學期開始時會更努力於課業上。在上一學期成績落後喪失自信的小孩，在漫長的假期過去後，已將討厭的印象抹去了，會充滿幹勁的著手於功課上。也許本人並沒有察覺到自己心理狀態的變化，但身爲父母，沒有理由不活用「課業輔導」，使「抹消經歷」的效果良好表現在新學期上。

新學期剛開始時，班級中孩子們的排名順序並不明顯，也就是說小孩腦中暫時擺脫了「做得到，做不到」的評價，成爲一張白紙狀態，這時較能集中精神讀書。因爲小孩不用多心顧及成績或評價，便可較容易專心於功課上，利用這個時機，新的知識便可像水滲入乾地一般，迅速的儲存在小孩腦中。

追根究柢詢問討厭用功的理由，就能掌握好轉的契機

小孩討厭用功的理由很多，自有其道理。例如一年級剛開始時被老師罵，或唸錯字被笑，或想看電視卻因爲要做功課而看不到等，各種理由千奇百怪，但這一切堆積在心中，造成了討厭用功的情感。

這時候若只罵他「不讀書是不行的」，並不能解除小孩心中的芥蒂，也無法治療他討厭讀書的心情。所以要讓他改變對用功的態度，關鍵就在於將混淆不清的觀念由小孩心中拔除。

因此，要使用治療精神官能症的複聽面談法。先告訴小孩「有話儘管說」，使小孩想到什麼就說什麼，說出爲何討厭讀書。這時最重要的是要和他約定「不論說什麼都可以」，不管他的理由有多可笑都不可以罵，也不可以笑，因爲這樣會使小孩的心緊閉，不

肯說任何話。

在這種有什麼說什麼的情形下，小孩便能冷靜客觀的看自己的問題，若能將心中混淆不清的疑惑，以言語表達出來，那麼這就不只是「感覺」，而是可凝目注視的「物」。

如反覆的客觀面談後，小孩也會了解，所討厭的並不是功課本身，而是被罵、被笑的經驗，是圍繞著用功的周圍環境。這樣一來就已成功了。要改變課業內容誰都做不來，但在這樣的心理條件下，小孩及父母親多花點功夫便能加以克服。

若能依場合，找出討厭用功的理由，就可以治療討厭用功的心情了。

8 防範挫折於未然的檢查法

是不是粗心犯錯，讓他做類似問題就知道

很多父母在小孩帶考卷回家時只在意他考幾分，其實考試最重要的並不是分數，檢查一下小孩上課時有沒有充分了解上課所學，這才是最重要的。

這時使父母最感到困擾的一件事，是難以判斷小孩做錯的地方是因不小心而錯，或是因原本就不了解而做錯。尤其是客觀測驗方式的考卷，只讓小孩在規定的空格裡寫答案。未曾留下任何答題的過程，因此更不易判斷。

如果已充分了解，只是因不小心才犯錯，那麼問題倒還不大，但若是完全不懂而犯錯，就必須提早謀求對策，否則不懂的地方會愈不懂。所以站在父母的立場，有必要知道是因爲哪一種情況所致。

但如果看不懂是屬於何者的話，自然也就找不出所以然來，這時可從教科書或問題集

中找出類似問題，讓小孩做做看。若只是不小心做錯的話，這次應該可以答對了，但若是因不了解而犯錯的話，這次還是會犯同樣錯誤，由此而檢查出小孩的「理解度」。若因後者的話，不了解之處不可置之不理，應該儘早設法彌補。

讓小孩量一下每一個問題所需的回答時間，就可看出原本看不見的不拿手之處

父母看小孩考試的結果，若答對了就認爲沒有什麼問題，其實答對比答錯的問題隱藏著更大的危險。

這是我從某位母親那兒聽來，是真實的事情。他今年四年級的兒子對計算問題很不拿手，這位母親便買了一本練習簿給他，但練習一段時間後發現一件很奇妙的事情。練習時做對的問題在學校反而做錯了，剛開始時以爲是粗心做錯，卻在偶然的一天發現了事實真相。

原來這個小孩在做練習題時，凡是答不出來的問題都看後面的解答，因此，更嚴重的時候竟然所有答對的問題都是不會的問題。母親反省後，認爲自己過於粗心，怎可連答案一起給小孩，且因爲自己過於急迫的態度，使得小孩照抄答案。

雖然這是個極端的例子，但說不定答對的題目中經常藏有半斤八兩的危險。由於看考

卷上答對了，而對這類問題一律給予「免罪符」，但這類題目中很多反而是該檢討或反省的對象。雖然答對了，但是實際情況也分好幾種階段。以靠不住的方法好不容易盜壘成功，這是瞎貓碰上死耗子，更嚴重的也有像前面的例子那樣。換句話說，答對的題目中從一〇〇％答對到〇％答對都有，不可因「答對了而安心」。

透視方法之一是解答問題時讓小孩每一題都要寫下所需時間。這樣才能得知好不容易做對的題目中，究竟是好不容易才做對的，或是輕輕鬆鬆就答對了。不用說，這對答錯的問題也是有效的方法。

讓小孩扮演「老師」的角色，就可知道他是否真正了解

我所喜歡的趣味活動之一是魔術。我所屬的東京業餘魔術師俱樂部的已故前輩高木重朗先生常令我驚訝。高木先生以令職業魔術師都咋舌的奇妙手法而聞名，他不僅擁有高超技巧，同時能把幾千種變戲法的訣竅，記得一清二楚。這可能是因其與生俱來的記憶力好所致，也可能他經常在和同好相聚的演講會中教我們有很大關係。

每個人只要能把自己學來的改教給別人，就能使知識更確實。因爲教別人是把曾被動得到的知識改用自己的理論，或自己的語言再加以構成，絶非一知半解就能辦到。我也是

「課業輔導」的原則③

切身學會提高效率的用功法

能在短時間內做完功課的話，用功也可以變得很快樂

父母親的誤解：是否因「我家小孩肯長時間用功，是個乖小孩」而安心。

在執教於大學時，才了解到以前自以爲已學會的東西是多麼不確實。

從這個意義上來看，爲了使小孩的知識或理解更確實，讓小孩由學生的立場改變爲老師的立場，讓他嘗試「教別人」的經驗，是相當有效的方法。

若母親成爲學生的話，也是一個明確了解小孩理解程度的好機會。

9 將考試利用在「課業輔導」上的方法

考試考好了才是小孩反省的好機會

考試容易讓人產生「考得好便是好小孩，考不好便是壞小孩」的錯誤觀念。但若巧妙的利用這一點的話，也可成爲「課業輔導」的良好教材。

例如，在過去成績一直不大好的科目中，小孩考試得到了好分數，這時正是「課業輔導」的機會。通常遇到這種時候，父母及小孩都可鬆口氣，母親會想已經考完試，而且小孩考得不錯，應該讓他好好休息。但另一方面，小孩沈溺於這樣的滿足感時，正是讓小孩反省他所没注意到之處的良好機會。

因爲一般人若被指摘自己的缺點就會產生拒絕反應，亦即俗話所說的「什麼都聽不進」。但若是在心情好時便會進入一切照單全收的「開放」心理狀態，所以即使是較不願意聽的話，也能較無反抗的聽了進去。

這時，應活用這個機會回想一下目前爲止讀書的缺點，或這次很可惜答錯的問題。如此不只可防止因考好而掉以輕心，也可一口氣解決過去的問題所在，建立好成績的基礎。

答錯的問題，要在家反覆重做直到一百分爲止

一般皆認爲考試在計算出分數後便完畢了，其實計算過分數的考試卷是一份難得的「教材」。例如將沒有考到一百分的考卷中「不會的問題」反覆重做，直到答對，如此一來，在這個範圍中就沒有不懂的地方了。這可成爲向下一步邁進的有力著力點。與其偶爾考一百分而沾沾自喜，不如一一克服自己的弱點，對切身培養真實力是很有幫助的。

在小學時期建立基礎比眼前的考試重要。因爲只要留下一點點不懂的地方，以後就會成爲一大挫折，漸漸的便趕不上別人。

讓小孩學會過去做錯的題目，可成爲防止陷入此僵局的一大力量。所以不可因爲「結果已經出來了便放著不管」，與其讓小孩繼續唸下一個段落，或做參考書，不如一直唸答錯的考卷，切身溫習以前的教材還比較有效。

這個反覆做到考一百分爲止的方法，事實上不但是建立基礎，更可做爲下一次考試的準備，也可做爲減少失誤的準備，和成績的提升亦有關，是個一石二鳥的方法。

常答錯的問題要讓小孩再徹底思考那一題

若有小孩每次考試都做錯的問題，難免會認爲是因「練習不足」，因而想讓小孩反覆練習同樣的問題。但如果說這種做法就能使小孩順利克服棘手意識的話，倒也不盡然，反而使小孩深陷泥沼，再也爬不出來。

因爲從心理學上「正反應的强化」「誤反應的强化」概念上來考量，這種做法正是「誤反應的强化」，很可能會把小孩趕入容易犯下錯誤反應的狀態。

這裡所謂的「强化」不外乎「反覆去做」。俗話說得好「壞習慣一再重複，便愈難矯正」，可見被一再重複而强化的誤反應，對本人而言連是什麼地方所犯的「錯誤」都不知道。換句話說，經常做錯的問題中，含有連自己都未察覺到的「錯誤反應」，而且同樣的問題重複愈多次，愈會使「錯誤反應」更深刻。

爲了脫離這種惡性循環，首先就是避免讓他反覆去做，應該讓小孩把答錯的一題徹底重新思考，仔細分析構成問題的一切要素，可使小孩對以前應該已了解的事，或以爲應該以完全學會的問題，再次投以疑問的眼光，試著以語言將組成各要素的思考過程表達出來。

如此一來，在大部分的場合中，可在本人想都没想過的意外之處，發現有所誤解的地方。我想，自以爲毫無疑問的地方，才是過去不斷犯錯之處吧！

將所有答錯的問題聚集起來再考一次，可排除小孩棘手的意識

一般認爲小學中所舉行的考試有二種意義。意義之一是改善每一個小孩的學習能力，做爲以後教育資料的『測驗考試』。另一個是集中解決問題，培養解決問題的能力，同時發現自己無法解決的問題，使理解或知識完整，稱爲「成長測驗」。

然而，由於第二個目的的考試結果人人不同，因此學校很難進行指導。關於這一點，父母親在家庭的學習中扮演了很重要的角色，將不會的問題放著不管，不但使理解或知識不完全，更會累積做不來的自卑感，只會增加該科目的棘手意識。

爲避免這種情況，所要下的功夫之一是在每次考試後，只選出考試時做錯的問題，將這些問題重新再考過幾次，直到全部會做爲止。若能全部答對的話，該科目的盲點便能完全填平。

這就是使理解及知識完全的同時，也能完全排除棘手意識的一石二鳥成績提升術。

剛考過試後用功，即使時間短暫也有效果

很多人小時候都曾經驗過學校考完試後，一回到家馬上翻出教科書對照，看看自己是否答對了。

依學習理論而言，應該將注意人類心理的「即時確認原則」引入實際教育中，進行研究。換句話說，人類在剛做完某項工作之後，想探知工作結果的慾望是最高的。換句話說，剛做完該項工作之後，正是對該工作最關心、動機最高的時候。這個方法已被引進計畫學習中，學生一面回答接連提出的問題，同時可以機械馬上得知結果。利用「即時確認原理」可提高學習效果。

如此說來，剛考過試不久，正是用功的好機會。天下父母心，在考完試後放任小孩好好去玩也是常情，但剛考完試後的「即時確認」並不需花太多時間。

活用這個機會，在短時間内即可得到良好的成果。

10 培養小孩喜歡讀書、有自信的方法

肯定小孩讀書之外所拿手的事物，可使他發憤用功

創造世界性品牌SONY的井深大先生，曾告訴過我有關教育小孩的經驗。據說他的長男從上小學起就很討厭讀書，是班上排名在後的劣等生。有一天他突然要求要學小提琴，井深先生心想他想學就讓他試試看吧！沒想到學習效果不錯，不久就在才藝發表會中表演。當時他在聽衆前漂亮的演奏，受到朋友及老師的讚賞，這個經驗使他對讀書產生自信，後來以優異的成績畢業。

由這個例子可知，只要肯定小孩拿手的任何一件事物，他擅長的範圍便會不斷擴大，這對其他方面也會產生許多良好的影響，尤其是當小孩失去自信時可以使其恢復自信。

每一個小孩總有優於其他小孩的特色。例如，書雖唸得不好，但音樂細胞特優，只要在電視上聽紅歌星唱個兩三次，便能唱出音階正確的歌。對這種小孩，你必須先認可他在

歌唱方面的才華，接著可以指出其記憶力好，對韻律及音階感覺敏銳。

由父母親指出自己都沒發現的優點，將使得原本自以爲頭腦不好的小孩重新取回自信，不只唱歌，連帶的也會對讀書產生興趣。之後小孩便會自動積極的著手用功，成績也會不斷提升。

使得意的科目更上一層樓，其他學科也會成長

俗語說：「好的開始是成功的一半。」意思就是剛開始順利的話，以後的工作也大都能順利進行。若剛一開始便產生良好的自信，對往後的工作也會有好的影響，其效果可使工作順利進行到最後。

如此一來，自信喚來自信，便能產生做任何事都會順利的感覺，人心真是不可思議的東西。像這種時候，即使平時不會做的事，也可以簡簡單單的完成。

讀書也是一樣，只要有一科拿手的科目就可擁有自信，其效果可波及其他科目，而使成績不斷提升。數學好的小孩，國語社會大抵上也都不錯，其原因便在此，但若情況反過來就糟了。數學不好的話，連帶的會影響其他科目，國語和社會也會不好。

萬一你的小孩成績出現了問題時，不要貪心一次要每個科目都好，何不讓小孩喜歡的

一個科目徹底變好就行。只要對一個科目產生自信，其他科目的成績自然也會轉好。事實上我在小學時也曾經是個劣等生，但因數學成績變好，連帶的其他科目也愈來愈好了。

在言語中常給小孩希望，小孩會變得喜歡讀書

有句話說：「說得好就不會傷害對方感情。」同樣一句話說，法不同給對方的印象便全然不同。例如說：「那個小姐雖然皮膚白，但鼻子卻很塌」，這樣說的話，誰聽了都會生氣。但若改說：「她鼻子雖然塌，但皮膚很白」，這樣就變成一種誇獎了。父母親在指導小孩讀書時，常以前者的表達方式來說話。

以前來我這裡接受輔導的母親也爲此有過痛苦的經驗。她的小孩在國小五年級時，由於他在校內籃球比賽終場前一秒鐘射籃，以一分之差結束這場熱戰，使他的班級獲得優勝。回來時小孩氣喘吁吁的向母親報告這件事，當時她脫口而出：「是呀，運動很行讀書卻完全不行。」

從此，她的小孩更加痛恨讀書，這位母親受盡痛苦煎熬而來找我輔導。如果那時改說：「既然運動那麼厲害，在功課上加加油應該沒問題。」小孩有了希望後便不再討厭讀書了。

讓小孩說出將來的希望，可引起讀書意願

天下父母莫不希望小孩能努力用功將來出人頭地，但對這一點，小孩到底了解到何種程度呢？更何況年紀小的小孩根本無法體會一一克服眼前的現實、儲備力量，和將來的幸福有何關聯。

但若能讓小孩了解：爲了將來，眼前辛苦讀書是必要的。這的確是比什麼都還要强的動機。

所以在此讓小孩以自己的想法去思考未來是必須的。因此，首先要讓小孩試著以自己的話說出將來的希望，即使他的話是多麼的脫離現實，但越是如此越能膨脹小孩子的夢想。由父母親來當小孩的聽衆，任由小孩天馬行空、描繪自己的將來。

如此可以使討厭用功、想逃離現實的小孩，領悟現在用功對將來是必要的。

「差勁的人成為偉人」的故事給小孩勇氣

從前我在寫『順利用功術』時，收到許多小孩的來信，其中最受注意的是我在文章中提到小時候我也是個劣等生。小孩子以幼稚的表情說：「當我讀到老師小時候也是個差勁

的學生時，我也有了夢想。」或「受到很大鼓勵」等，我想這本書對他們總算也有用處。

連筆者這一點點體驗都有效，若換成是世界的聖人君子，身邊的各界一流人士，或小孩周圍的人或成功者的故事，效果當然更大。

換句話說，即使我是個例外，但只要小孩知道偉人過去也有過黯淡時期，將會把自己投射到該人物上，對未來充滿希望，也提得起跨越障礙的勇氣。

我常以奧地利的心理學者奧特勒爲例，他在少年時期爲强烈的自卑感所苦，因爲想逃出這種自卑感，才開始研究自卑感，後來他發現許多古今中外，各領域中的偉人都和他一樣爲自卑感所苦，但仍努力成爲一流的人物，結果他自己也成爲世界心理學史上著名的偉大心理學者。

實際上「差勁的人成爲偉人」的例子很多，光是在學生時代爲劣等生的知名人物，便有英雄拿破崙、生物學者林耐及達爾文、發明家愛迪生、物理學者牛頓、詩人拜倫等。不要光舉這些「過於偉大的人物」，應該以小孩身旁曾爲劣等生後來成功的人物爲例較好。以這些人物的故事爲例，可使失去幹勁的小孩發憤圖强。

反覆給予正面暗示，否則效果不大

身爲家長，你可能會偶爾心血來潮，對沒有自信的小孩鼓勵道：「你只要有心做還是做得來的。」小孩在剛被誇獎時，有可能恢復自信，努力用功，但兩三天後便故態復萌，失去走向書桌的幹勁。這種情況不斷重現後，小孩會對母親鼓勵的話產生懷疑，反而和課業愈行愈遠。

鼓勵小孩不可只限於當時，每天不斷進行是很重要的。也就是說不斷給予正面的暗示可以提高效果。雖然這個比喻有點離譜，但在戰時便是因每天聽最高統帥部的發言，而使國民士氣提高。

對沒有自信的小孩，若平白無故的告訴他「有志者事竟成」，剛開始他可能會產生反感。但只要每天重複說這些話，小孩被暗示性提高，漸漸的會相信父母的話，而照他們所說的「去做好它」，這樣就可以了。小學時成績不好多半是因不用功，因此只要用功的話，必定可以出現效果，這樣才能建立真正的自信。

父母「我的兒子一定行」的堅定信念使小孩真正成長

美國心理學者曾做過一項有趣的實驗，在某小學舉行「預測學力成長測驗」，結果全學年有二成小孩被老師評定爲「極優秀、有潛力」。

其實這是『假的』報告，被評定爲「有潛力」的小孩和其考試成績無關，只是任意被選出來的而已，但令人吃驚的是在之後所舉行的學力測驗，被評定爲「有潛力」的小孩卻真正的「有潛力」。

這到底是怎麼回事?原來相信測驗結果的老師們，以「這個小孩是有潛力的小孩」這樣的信念加以教育，這信念反映到小孩身上。

「人類受別人的期待或操縱所規定」，這種想法很多，這個現象被稱爲「皮美良（Pygmalicn）效果」，最能表達人類心理的一面，所以若將這個信念應用在家庭上，即使小孩現在不行，只要父母堅信「將來一定可以」，這便是使將來成績成長的動力。

11 提起小孩幹勁的誇獎、責罵法秘訣

用功的報酬只要父母一句話便足夠了

只要中學入學考試合格，就獎賞他到海外旅行，或買高價位的玩具給他，當小孩努力用功或考試成績良好時就給予「獎賞」，這些都已是司空見慣的常事。

當小孩子努力讀書或考到好成績時，父母親肯定而給予鼓勵，這當然不是壞事，甚至還能引出小孩的幹勁，對「課業輔導」而言是必須的，但這若不只是給予鼓勵，還給予「獎賞」的話，這就值得考慮了。

因爲給予獎品或吃一頓美食的物質報酬，只有在最初時才有新鮮及刺激感，若重複給予刺激的話，感覺將會麻痺，不再感到刺激。也就是説剛開始時會非常高興，但久而久之就不再感到高興，而爲了再給予刺激就必須再提高報酬，例如，更豪華的美食，更高價的玩具。

但「獎賞」的問題並不只在這一點而已，問題是小孩以報酬爲目的而用功，在自動自發用功這一點上並無任何意義，很有可能因失去「獎賞」，或對獎賞不屑一顧而不再用功。

給小孩努力用功的鼓勵，沒有比父母親一句話更受用的，父母親誠懇的表情及言語，更能給小孩鼓勵。

沒有用功而考好時千萬不能給予鼓勵

天下父母心，在小孩考好時都會想誇獎小孩一番的，但只依分數求誇獎他的話將會產生問題。因爲若不確定這個好分數是小孩努力的結果，或是偶然得來的，便貿然誇獎，小孩難免會只注意到「沒有努力也可以考好分數」，結果小孩便討厭用功。

鼓勵有固定及促進受鼓勵對象行動的效果，在行動科學中稱爲「强化作用」。所以當小孩不大用功卻考了好分數時，若只看結果就加以誇獎的話，只强調了「不用努力」這個行動而已。

爲此，小孩難免想結果好就好了，而忽略了努力的價值。

即使頭腦再好的小孩，不努力卻想要考好是不可能的，就算有「不努力也可出人頭地的方法」，但若真的想不努力而出人頭地的話，最少也要努力學習此方法。

重要的是如何使努力和好結果畫上等號，在這一點上所要强調的是「充分努力便能得到好成果」。父母腦中一定要有正確觀念，不論過程如何，只要結果是好的就誇獎小孩，這對小孩絶無好處。

若不看結果只看努力程度便加以誇獎，成績進步不大

和前項相反，若小孩在考試前特別用功，卻得不到好成績時該怎麼辦呢？這時有很多父母會對小孩說：

「不管結果如何，你還是用功了，真了不起。」

的確，我並不是不了解父母擔心小孩努力卻得不到好成績，會因此而失去幹勁的心情，所以都會誇獎他以免小孩失望。再說因不努力成績才不好，這樣的個案的確無法和努力成績卻不好的個案相比；但作者認爲既然如此，何不教他有效的努力，這才是「課業輔導」。

若太注重努力而忽略了結果，難免會造成只認可努力而使小孩消極認爲：「只要努力大家就會誇獎我，至於結果就看命運安排了。」結果成績難免乏善可陳。可見努力不只是「目的」而是「手段」。

為了達到目的，只有手段而不講求效果是毫無意義的，因此，只要努力便加以誇獎，但最重要的，還是要讓小孩領悟「下次還要為了得到好成績而更加努力」。

配合成果大小，誇獎的話也有層次

對自己努力完成的事得到「做得好」的評價，誰都會感到高興。尤其是小孩子，常為了母親一句誇獎的話而努力用功。

但是，在同樣被稱讚「做得好」的場合中，有時並無法坦率接受此稱讚。有人會認為「我是如此的努力，為何不肯多誇獎我一些」，或覺得自己並未努力卻受到如此誇獎，而產生「做到如此便足夠了」的錯誤安心感。

所以對小孩的課業應按成果大小設下幾個層次，某些場合應「有條件」的誇獎，有時應「無條件」誇獎。在此所謂的「有條件」指的是以「做得很好，但這個地方若改成這樣會更好」或「你很努力，但下次何不連這個一起做呢？」等說法，指出小孩做得不好之處。

像這樣按照場合區分出幾個階段，可適度刺激本人意願，是不錯的「學習促進劑」。

「課業輔導」原則④

使課業更和切身有關

將學習內容和現實生活相連結才可加深理解

父母親的誤解：你是否認爲「用功一定要在書桌前」

以罵外向型的小孩，誇獎內向型的小孩爲原則

我曾問過職業棒球名教練培養選手的秘訣，其中有一句話是如此說的：「剛進球隊時會按不同選手的個性，決定這個隊員應用鼓勵的方式，這個隊員應用責罵的方式來教導，決定教導方針後接觸便較順利。」

同樣的，小孩讀書也是如此。有些母親會因同是兄弟，責罵時便以相同的方式責罵。但即使是兄弟，每個小孩的個性也千差萬別。外向型的小孩即使挨罵了也只不過跟別人說：「又挨罵了」，感受並不深刻。但內向型的小孩只要稍微受了斥責也會將其誇大，結果情緒也不穩定，對這種小孩，重點應擺在誇獎而非責罵。

不管責罵或誇獎，目的都是要鼓勵小孩用功，既然如此，若不配合小孩的性格，在責罵或誇獎上下點工夫，就無法達到目的。

偶爾「誇獎」，偶爾「責罵」才有效

有些父母一下子罵小孩不用功，一下子因成績不好又罵，但仔細想想，小孩遇到這種狀況時，在挨罵前心裡早已害怕「這樣的成績又要挨罵了」。所以父母即使沒有真的罵，

但小孩只看父母的臉色，也已充分感受了「責罵之意」。

所以，若父母忽略了小孩這種心態，每次都加以斥責，小孩心中會想「今天又挨罵了」，而漸漸習慣於挨罵，結果父母親的話都成爲耳邊風，如此一來，小孩感受不到父母原本想要給他的「挨罵的感覺」，效果適得其反。

有的母親使小孩陷入這種心理狀態，而嘆氣埋怨道：「我已唸了他好幾次，但這小孩好像都講不聽。」可見這位母親並未發現自己忽略了小孩這種微妙的心理。

反過來說，若誇獎小孩的次數過多，刺激便會減弱，得不到期待的效果。換句話說，無論「誇獎」或「斥責」，都是促進小孩本身用功意願的一種「刺激劑」，做得過多小孩會感到痲痺而無效。

不論是「誇獎」或「斥責」，偶爾爲之才有效。例如，眼見小孩最近過於好玩，長此以往後果堪慮，這時可找個機會罵他，或者小孩做得好想誇獎他一番，但仔細想想應再觀察一陣子再說，像這樣計算一下效果有時也是必要的。如此應用得當，父母的話才能成爲小孩用功時無可替代的鼓勵。

12 在「課業輔導」中絕對要避免的禁忌

「笨蛋」「不行」等意氣用事的評價不算真正的責罵

遇到小孩做什麼事都失敗時，你是否接二連三的罵他「你真笨」「做什麼都不行」。這種說法等於是以非常意氣用事的評價做基準來看小孩，不是針對事實說服對方的責罵，影響所及只引來小孩的反感，得不到責罵的效果。

小孩上了國小，到了某一個程度便能客觀的感受自己的失敗，不管是誰，一旦失敗都會認爲是件糟糕的事。當然此時他已有挨罵的心理準備，但如果父母不顧客觀事實，只是意氣用事的責罵，較好勝的小孩會反抗，較內向的小孩則會產生自己真的沒有用的自卑感，如此便無法使這次的失敗成爲下次成功的借鏡。

所以父母若真有望子成龍之心，就要壓抑感情，再客觀指出錯誤之處來說服小孩，因爲對小孩而言，他所需要的是有人客觀的指出連自己都沒有發現的客觀因素，而不是笨蛋、不行等意氣用事的結論。

「反正我的小孩……」這樣的話糟蹋小孩

父母脫口而出說：「反正我的小孩……」，是會奪走小孩用功幹勁的禁語之一。小孩考試成績稍差，父母便說出「反正……」「還是……」這種既責備自己，又責備小孩的話，但事實上，這樣的話和「不用再努力了」是同義語，此話一出，小孩考試成績不好便已被正當化，只會使小孩以後不再努力的暗示作用。

即使是大人，眼見工作不順利也會說出「反正……」「還是……」的話，傾向自我正當化，但若執著於這些話便沒有進步的希望了。

因爲小孩對四周大人的話反應特別敏感，會奪走小孩用功意願的禁語投影於小孩心中，所產生的影響很大。此外這些負面印象的話會將以前所說過正面的話抵消，甚至停止小孩的努力或思考。不管如何，「反正……」「還是……」這些話應列爲「課業輔導」上的禁語。

根據我的調查，發現父母越是容易放棄的消極派，小孩在課業上也愈消極。問孩子們從「反正……」「還是……」這幾句話聯想到什麼，消極派的小孩會回答聯想到自己父母。他們的父母可能在家中談話時，一提到公司的事，這些話便脫口而出，所以即使是普通談話，在小孩面前也不要使用負面的語言。

若小孩口中常掛著「反正……」「還是……」這些話即表示亮起紅燈。遇到這種狀態，課業反而成爲次要，首要應是將這些話趕出小孩心中。

過了三個月小孩仍未產生變化，就應立即換家教或補習班

最近高年級的小孩多半都會請家教或上補習班。但是每個月花很高的家教費，也不一定會遇到好老師，補習班也一樣。若只請來家教或上了補習班後便置之不理，便無法得到所期待的效果。

我原本主張小學時只要好好唸書就没必要上補習班或請家教，但若家長執意要如此做的話，剛開始的三個月應多加注意。當然短短三個月的時間，無法期待小孩的成績能有多大改善，但首先要注意小孩的態度。

例如，在家教要來上課的那一天，卻一點都看不出小孩從早上便期待著家教到來，這時就要考慮到是否家教教法不當，或跟小孩不投緣。若是如此，不管再繼續多久，成績也不會提高。

日本人是很重面子的，家教雖是外人，但他在家中進入三個月之久，想要把他辭掉也不好意思，但這時千萬不要顧慮面子，該辭就辭，對小孩才有利，因爲家教或補習班，甚至有可能成爲妨礙小孩讀書意願的原因。

所以不要固執於一種作法，若做了無效，就必須不斷改變。

13 連反抗性強的小孩也肯定的「多湖式兒童說服術」

叫他「不准用功」，這一招對完全不用功的小孩也有效

這是我以前所寫過的『自我暗示術』中所介紹過的趣談，是某電視劇中的一大傑作。某公司刻意設立一個新的單位，稱之為特別室，凡是調到這裡服勤的人，皆被告以在一天中你們愛做什麼就做什麼，看漫畫也好，打麻將也好，但絕對不要「工作」。如此過了幾天之後，便產生了一種奇怪的現象，特別室中每人都開始心焦。換句話說，他們想「工作」想到難以抗拒的程度。

每個人都有向某事挑戰，以升高自己格調的意願，稱之為自我實現的慾求。在這劇中的出場人物們，因被隔斷的意願而開始焦急。

小孩子讀書也是一樣，尤其是對於真的討厭用功到萬念俱灰程度的小孩，有時告訴他「那麼討厭唸書的話就不要唸好了」，比告訴他「快用功」更有效。「愈被禁止的事會愈

想去做」，要對付這種小孩，禁止他讀書等待自我實現的慾求自然進入腦中，也是一個方法。

有時「忽略」比「責罵」更有效

父母催小孩用功常採的模式不是「嚴加斥責」便是「連哄帶騙」，若考慮到小孩心理，兩種都不是有效的方法。因爲「希望你用功」只是父母一廂情願的心意。

由這個意義上而言，各位腦子裡要有一種認同，對不管罵他或哄他都不聽的小孩，採取完全「忽略」的作法，有時可有意外的效果。

有一個例子是這樣的，在這個個案中提到的小孩幾乎完全不做作業，老師交給他的考卷也不交給父母看，逕自撕掉。

父母親知道真相後，剛開始嚴厲指責，每天嘮叨不停的催促，但這小孩不但惡習不改，反而變本加厲。於是父母親有了默契，講好從某一天起完全忽視其行動，果然不出所料，小孩改變了頑劣作風，終於會拿出考卷給父母看。

有的小孩在感覺上認爲挨罵是一種處罰，所以自我解釋爲挨罵等於受罰完畢，及補償自己散漫的惡行，針對這種小孩而言被忽視亦即此種下意識的自我正當化失效，心中會感不安，如此一來便不得不自動改變態度。

做功課這件事不是懇求或拜託得來的

有一個個案，個案中的小孩討厭上學。這個小孩今年五年級，大約從四年級中便開始常找藉口逃學，剛開始母親以爲他身體真的不舒服，於是到處尋醫，但後來得知他並無不舒服，於是改採威嚇戰術，但如此做也毫無效果，於是改採懇求戰術。據說小孩眼見母親哭著說：「求求你到學校去吧！」才心不甘情不願的上學。

但問題還在後面。小孩開始要求金錢，可能小孩潛意識認爲是由於被懇求才上學，因此要求報酬也是理所當然的事。

小孩的父親得知小孩零用錢金額增加，爆怒之下禁止再給錢，同時對小孩說：「你覺得不必上學就不要去好了。」

結果，幾天之後小孩便自動上學去了。

從這個案例可知，即使拜託小孩用功也是毫無意義，若不是爲自己而用功的話，不管做了多少也沒有用。所以對於討厭用功的小孩教他「用功的意義」才是重要的。

反覆向小孩說明國小時「必須要用功」

人若是被强迫做自己無法做的事，心理上會非常痛苦。例如綠燈時有人擋在車前喊停，如果不了解被阻止的理由只會心焦氣急，說不定終會因按捺不住而不顧制止，發動車子照開不誤。如果知道被阻止的原因是因馬拉松隊伍通過，在沒有辦法之下，也能耐心等待五分～十分。

火車在車站和車站間突然停車也是一樣，若沒有任何資訊的話，車內的乘客會心焦，如果車廂廣播停車的理由，乘客便可放心。

讀書也是一樣，若沒有理由，只片面被要求用功的話，小孩只會焦慮，引不起用功意願。讓小孩肯定，而認爲必須用功不可的理由可說是難之又難，但反覆說明這個理由是必要的，因爲如此反覆說明，出現了暗示效果，縱然沒有嘮叨不停，强迫用功，小孩心中早已被「說服」，而使不能不用功的意識漸漸在心中强固。

在用功中可不管其任何要求，不要和其閒聊

有些小孩若被規定必須讀書一小時而坐上書桌時，其間會提出種種要求，例如「口渴

了」等，而要求喝茶或吃點心，這時大部分的母親眼見「小孩正在用功」，便會給他茶或點心，小孩便開始一邊吃喝，一邊談談學校、朋友的事情，母親也想「用功中稍微休息一下」，便也坐下來聽小孩閒聊。

但像這樣一概答應小孩於用功時段中的要求及閒聊，對「用功」並無好處，因爲小孩之所以在用功中提出各種要求、閒聊，主要是對課業不專心，因而想在心理上逃避的表現。

所以答應小孩的要求、閒聊，反而助長小孩逃避的心理，而與課業愈行愈遠，漸漸失去了讀書的氣氛，最後便造成了小孩坐上書桌的目的，只是爲了喝茶及吃點心。

若真正爲小孩課業著想，對於用功中和讀書無關的要求、閒聊都一概不理。小孩失去了逃避之處，剛開始可能會反抗，但只要父母堅持原則，過不了幾天，小孩便會開始領悟「用功中做任何要求都是沒用的」，會把逃避現實的精力改向課業。

我認識的一位母親不但不理小孩的各種要求、閒聊，連出去買東西時也留下字條，無聲的出去。這種態度持續約一個月左右，小孩從一開始的埋怨、耍賴，到後來甚至說：「媽媽不在一旁喋喋不休的話，更能用功。」這一來真是大成功。

可見對小孩而言，在讀書時間中只有讀書，有頭緒的畫清界線，是比什麼都重要的「課業輔導」。

第3章 使小孩頭腦全面回轉的「課業輔導」

·啓發小孩能力的腦部刺激法

14 用這種教法小孩一次就能理解

在低年級時讓小孩模倣是教法的基本

俗話說：「有其父必有其子」，小孩在低年級前一邊模倣父母，一邊成長，可見「模倣」是學習方法之一，但這也有各種模式。其中有意圖的進行模倣，在心理學上稱之爲「臨摹」。例如，在運動中教練以示範基本動作讓選手模倣，習得技術。

在教小孩讀書時，許多父母也常在無意識中自己做給小孩模倣，這時與其站在小孩的立場做給小孩看，不如站在父母立場讓小孩看看文章的表現形式，公式的寫法，答案的做法等模倣型式較好。

教一個還不懂語言的幼兒時，與其使用幼兒語交談，不如改用規規矩矩的話，更能使小孩更快、更準確的學會語言，因爲小孩能模倣正確的形式。同樣的教小孩讀書時，父母若能好好示範正確讀法、寫法，小孩的進步也較快。

若心想孩子還小就以小孩易懂的方式示範，即使暫時能進步較快，但到了某個層次，反而阻礙進步。

這一章要以對小孩的教法爲中心，談談「課業輔導」。

到了小學高年級時，課業的內容更難，即使父母想教也漸感困難，但在低年級時父母有必要在課業上拉他一把，這時重要的是使小孩腦筋能全面回轉。父母應有此體認，罵他或强迫他，將使小孩萎縮或陷入低潮，並使得小孩減低腦部功能。

教他讀書時讓小孩選擇頭一個要教的科目

當父母看著小孩讀書時，對功課的主導權難免會轉到父母親身上，結果小孩便以被動的態度來面對課業。在此即使有某些部分無論如何都要教，也應讓小孩決定要從何處著手。

我所熟知的某間公司，每天早上都派給員工幾個工作，讓員工當天做完，至於從哪裡開始以及如何進行，皆由員工自我決定。據說同一件工作，這種作法比由上司規定「從這個開始做，接著做那個」效果更好。

不論結婚的對象有多差，只要心想這是自己選擇的，便能下定決心，白頭到老。同樣的，人只要是因自我意識所選擇的，便肯負責到底。因此即使小孩沒有用功意願，至少也要由小孩決定自己一開始所要學的東西，如此，小孩在心理上認爲當天的功課是依自己的意願而展開的，便可集中精力，產生有始有終的意願。

遇到關鍵處時叮嚀一句「只教一次」，便可使其較易理解

很多父母在教小孩時極有耐心的要教到會爲止，其實父母愈是如此，小孩愈會撒嬌，容易失去對課業的專注，結果只講一次便可了解的東西，卻講了好幾次仍不懂。

陷入這種僵局的原因，當然不是因爲「我家小孩頭腦不好」。

這時，偶爾要改變對待小孩的方法，拒小孩於千里之外也是必要的。

例如在教之前母親先叮嚀一句「這個地方只講一次」，如此便可將「可聽好幾次」「聽幾次都可以」的精神鬆懈從心中趕走，達到可在短時間內理解課業內容的效果。一旦小孩認真的聽你解說，記憶力、理解力便可提高。

重要部分，以只教該部分的單一重點主義教他

人類的記憶有個傾向，別的記憶進來以後，以前記憶的痕跡將被削弱，難以回想。尤

其是之後所記憶的內容和之前所記憶的內容相似時，這個現象更顯著。反過來說，爲了要記住某件事最好不要馬上引進內容相同的記憶較好，如此一來，記憶過的部分將被突顯，比同時記憶類似事情所留下的記憶更明顯，在心理學上稱之爲「凝離效果」，只要應用這個方法將可提高小孩的記憶力。

例如，在重要的地方，或碰到該科目必定要理解的重點時，必須從其他地方分離出來教比較好。若是當天只限定讀那個地方，其他地方完全省略，這也是一方法。

這樣做的話，該處的記憶不會受到其他多餘記憶的阻礙，比較鮮明，而且記憶也能維持長久。若太貪心，這個也教那個也教，最後等於什麼都沒教，便草草結束。

最重要的地方留到最後再教，如此做較容易留住記憶

我在大學授課或演講時，若有什麼事無論如何也要聽衆記住的，必定留到最後再說，並反覆提起。我會在說：「雖然講了很多，但最後這一點請務必記住。」之後概略說明當天所講的重點處。如此一來，姑且不論內容講得多雜亂，至少我最想講的一件事確實會留在聽衆心中。

當然，這個效果有助於了解話題的全部格局，此外，在整理、概約和强調等功能不

少。而將重點放在演講的「最後」才講，也是幫助很大的。

因爲人類的記憶有「系列效果」，對於一系列的學習，最初和最後的部分，最易殘留在印象中。換句話說，持續類似的學習時，會產生兩種抑制作用，一種就是前面學的阻礙了後面學的記憶，稱爲「順向抑制」；另一種就是後面學的阻礙了前面學的記憶，稱爲「逆向抑制」。兩種情況都會紊亂記憶，觀察一系列的學習中，最中間的部分因同時受「順向抑制」及「逆向抑制」兩方面的影響，記憶最不清楚，而最初的部分因只受「逆向抑制」影響，最後部分只受「順向抑制」影響，最易記憶。

尤其是最後的學習，在時間上比最初的學習更有利於新的記憶，較易留存於印象中。例如和別人見面時，對方在分手時所說的一句無多大意義的話，卻留在耳中久久不去，或即使只是單純的傳票作業，只有最後部分還記得其內容，這和此原理不無關係。

因此在教小孩時，若是要他絕對不能忘記的，應放在最後教，如此可加强小孩的記憶。

即使教到中途，也要把最後問題留給小孩解決

無論讀書或工作都一樣，沒有一件事比體會不出對某課題「完成的喜悅」更升高一個

人的「慾求不滿」。因此有的公司廢棄了可提高生產力的輸送帶方式，改採由一個員工從頭做到尾的一貫作業系統，雖然效率較低，但能提高員工士氣，反而提高生產力。

輸送帶方式可以說是最能象徵忽略人性的「能率萬能主義」，但將這種能率萬能主義帶入小孩讀書的世界中就有問題了。若說是爲了某種目標而努力用功，以便之後的時間可自由使用，那就另當別論。可是爲了完成一整天也做不完的功課時，便會將重點放在如何做才能提高效率上。因此，有的父母便會代小孩想出答案，讓小孩抄在筆記上。

小孩讀書獲得知識固然是重要的一件事，但體會完成的喜悅也是很重要的。可是什麼都由父母來教的話，小孩永遠體會不出這份喜悅。在教導小孩讀書時，只給小孩解決的線索，最後的問題留給小孩自己解決，若不如此去做，小孩會變得討厭讀書，不論經過多久也不會自願走向書桌用功。無論工作、課業都一樣，體會了完成的喜悅，才可成爲彈簧，產生著手下一項課題的能源。

無論如何都要教的課題可規定集中於「○○日」教

我所熟知的一位母親在教小孩用功時，採取將今天訂爲「時鐘日」，明天訂爲「左右日」這樣的方法，集中教小孩所想教的事。如此做並不是逼小孩坐上書桌用功，硬要教他，而是利用生活中的場景，教小孩時鐘的看法或左右的分別。這不僅對吸引小孩的興趣有很大的效果，同時也不放過任何機會，讓小孩溫習以前所教的，是種很有創意的教法。

學習法可分為集中法與分散法二種，這是混合二者的方式，將各個科目在短時間內教會，而且重要的是在當天分批集中教導。低年級可以像「〇〇天」那樣，以一天為單位，高年級則可以像「〇〇週」那樣，以週為單位，如此做不會使小孩失去興趣，可以集中教導。這個方法的另一個優點，是可以使小孩了解讀書目標，產生著手集中用功的緊張感，可有大大提高效率的效果。

若反覆教了三次還是不懂，就改變教法，或暫時離開這個課題

很多父母嘆氣說小孩在同一個問題反覆犯錯，教幾次也不懂，其實這個「幾次」正是「不懂」的理由。換句話說，以同樣的方法教了五次、十次還是不懂，這很明顯的是教與被教的一方，在給予與尋求間有很大的差異。在這樣的分歧中，沒有發現到教好幾次只是徒增兩者間的不信任，甚至於「教、被教」兩者間的關係不成立。

因此，即使反覆教同一件事也是有限度的，應以三次左右為宜。因為人類的思考遵循著「正、反、合」的原則，亦即對A的想法產生對B的對立概念（疑問），解決了這個矛

盾後才能達到真理，大體上要經過三次的嘗試錯誤，才能得到正確的理解。如果經過了三次還是不懂，應該從其他不同觀點試教，或暫時離開這個問題，等小孩的思考成熟後，再回來較好。

「三次定輸贏」，這個原則同樣的也適用於教導小孩的課業上。

教導的根本是活用小孩個性的優點

對於教導課業的方法，筆者所强調的一點是：教導的根本在於活用小孩個性上的優點。每個小孩的臉型各不相同，個性也不相同，所以常會發現對某個小孩有效的讀書方法，用在另一個小孩身上卻正好適得其反。例如，對考幾分一向不在意的小孩，有時要教他重視結果。但對於步步爲營、努力型的小孩，有時拉長休息時間，例如，用功二十分、休息十分，如此效率更大。對於全精神都在玩耍無法專心用功的小孩，父母平時就要注意，不要在書的四周放置和讀書無關的東西。

雖說是教他課業，但父母親畢竟不是學校老師或家庭教師，没必要深入教導課業内容。父母親所要做的是趁早使小孩學會適合他個性的用功法，因爲知子莫若母，只有父母能做得到這一點。

15 凡是學過的東西要不斷記下來的巧妙記憶法

使學過的事物連接成現實生活的一環，記憶將會更正確

小孩每天在學校學習很多東西，但很快就忘掉了，回到原點的理由之一是知識無法和現實連結。

這是因爲學校所學，對生活而言不一定是不可或缺的知識所致，身爲父母親應儘可能將這些知識和小孩的現實生活相連接，使小孩能學會正確知識。

例如，美國曾做過如下的實驗，說明了這種做法的效果。某一個小學聚集了六個所謂放牛班的學生，及六個普通班的學生，學習同一件事情，放牛班的小孩所有的學習都在假設中的「假定城市」中進行，無論數學、社會、自然、國語等都透過在本城鎮中的購物、城鎮組織、發生事件、及與居民的談話來教導。經過一週的實驗發現，放牛班的小孩反而比普通班的小孩獲得更好的成績。

「課業輔導」原則⑤
使小孩好好動動腦筋
讓其「思考」，可使小孩頭腦全面回轉
想想看如果屋子蓋高樓有何好處？
父母親的誤解：有沒有認爲「成績不好是因頭腦不好所致」
和我一樣不喜歡思考
只是不給她動腦的機會而已

這個方法不須刻意創做出一個「城鎮」，也可以活用於每天的生活中，這些知識不過是每天生活中所使用的知識罷了。

將晚上學過的東西利用早上十分鐘復習，可使記憶更確實

針對人類的「記憶」做研究，是心理學的重要領域之一，研究結果認爲要使記憶更確實，與其立刻復習記憶過的內容，不如在經過一定的時間後再加以復習。因爲人一天當中要記憶各種事情，結果當時所學的內容便會和其他記憶重疊，想使記憶的痕跡在頭腦中落腳，必須經過一定的時間。

另一方面，若完全不溫習曾記憶過的內容，那麼過去的記憶便會被後來記憶的內容打消，幾乎不會在腦中殘存任何記憶的痕跡。

一般來說，若在八、九個小時以內復習曾記憶過的事物，這種記憶便很難忘記，因此前天所學過的東西，在第二天早上即使只花十分鐘復習也是很重要的。

尤其是讀書後立刻就寢，期間並未再記憶其他資訊，所以記憶痕跡並未被紊亂，比較容易讓記憶再生。

所以早晨用功十分鐘相當於深夜用功一小時，這一點根據這個記憶原理應是可以被肯

定的。早上上學前稍微在書桌上坐一下，就可以把前晚所學的東西牢牢引進小孩腦中。

對小孩所提的問題不要只直接回答他，更要教他相關事項

有人一旦記住了對方的名字便再也不會忘記，但據說他們不只記下名字，連帶的也記下那個人的經歷、住址等和姓名有關聯的事項。這樣不只可以加强印象，同時也可以由相關事項回憶起名字，因此，只要聽過一次的名字就應該忘不了，這是相當符合記憶法則的，也可以充分應用在小孩功課上。

例如，教國文時不要只教他那個字，凡是相反詞、同義語、同音異義語等，所想到任何有關聯的事項都要教，這樣自然可以加强該字的記憶，而難以忘記。

假使忘了，也可以反過來從閒聊事項，循珠絲馬跡將忘了的字想出來。這個方法不只可强化記憶，更有增加語彙，擴大記憶的副作用。尤其是教導抽象概念時，教導和其相關的具體事項，應能對理解力不好的小孩發揮效果。

16 當小孩遇到有疑問時，正是「教他的良機」

讓他養成不懂就問的習慣

從小學、中學到大學，美國和日本的教室情境有很大的差異，美國的教室吵多了。這並不是說美國學生在上課時交頭接耳的講話，或上課時嬉戲，而是因爲老師說明時，有何不懂之處，學生會一個接一個提出問題，使教室變得吵鬧。每個學生不同的地方皆不同，甚至於有時上一堂課下來完全没有進度。

相比之下，日本的教室則安靜許多，學生傾聽老師講解，熱切的抄著筆記，幾乎没有提出任何問題，老師也不停的將進度往前推，想完成規定的進度，但經過考試後了解授課內容的學生還不到一半……。如此一來跟不上進度的學生增加了，漸漸失去對功課的興趣。

其中的差異可能是因美國人「對、錯」分明的民族性、及上課方式所引起的，但我覺得這和家庭教育也有關係。在美國家庭中，若是碰到不懂的地方卻不發問會挨罵，但在日本家庭中反而是因不懂而挨罵，因此，很難養成不懂就問的習慣。

家庭中的學習不同於在學校上課，都是採一對一的方式進行，因此很方便養成不懂就問的習慣。若以這種方法爲重點進行指導，而先不管進度或是否有將學習內容記下，剛開始時可能效率不大，但過了一兩個月後，小孩實力將會突飛猛進。俗話說：「發問是一時之恥，不問是終生之恥。」讓小孩了解發問不可恥，反而該予誇獎，也是重要的「課業輔導」。

連「什麼地方不懂都不知道」時的處理法

當小孩拿著教科書或家庭作業說「不懂」時，大部分的父母都會反問「哪裡不懂」。但小孩多半是因爲「不知道什麼地方不懂」，才來問父母親。

可是「不知道什麼地方不懂」，會變成像禪學問答那般，久久無法打開解決之道。這時若改問「了解到什麼地方了」。如此換一下問題，可出乎意外的更快找出小孩受挫之因。

因爲小孩雖小，但還是按順序、根據邏輯思考，所以可以回憶當他離開了出發點後，走到哪裡才不懂，同時母親也容易追加體驗。

如此做法，可以知道小孩對這個問題已思考到什麼地方，便發現在途中有否出錯，或關於不懂的那一點是否有小孩無法理解之處，更容易知道該教他什麼，將某個錯誤之處訂正過後，便可容易趕上進度。

回答問題時不要只以口頭回答，要讓他寫在紙上

以前指導大學生的畢業論文時，常出現不懂之處，並爲不知該給學生所選的主題何種建議而傷腦筋。通常只要問二、三個問題就可以了解，但有時不管重複問幾次也不知道想要研究什麼。這時我會暫時停止面談，讓學生把自己的想法寫在紙上。

如此做的話，什麼地方懂，什麼地方不懂的問題所在便一清二楚了。接著，我會再一次和學生以「所寫的事實」爲仲介，質問爭論點。這個方法的效果是透過書寫可從不同的角度重估爭論點。另一方面，問題點也會成爲「明確的形式」更加明確化。

即使是教小孩時，在和某不同的意義上，這個方法非常有效。因爲這不只是以口頭回答他，還讓他用紙寫下，不但加深了頭腦的理解，也可做爲將所理解的事物正確表態的訓練。從平常就養成這個習慣，考試時就可減少無謂的犯錯，對於成績的提升效果極佳。

父母親不懂的地方不要以模稜兩可的方式教他

有時小學生的問題連父母也無法立刻回答，遇到小孩突然問到這種問題時，你怎麼辦?你可能一方面想小孩好不容易來問問題，要設法回答，另外也認爲連小學生的問題都不懂太沒面子了，在這種心情交織下，便容易以「大概是……吧！」模稜兩可的形式來回答。

關於這件事，我想到我在美國曾聽過的某位大學教授上課的情形。當時他正在講解以五隻老鼠所做的心理實驗，其中有一個學生問：「如果只以一隻老鼠來做實驗，結果會如何？」使我感到欽佩的是，教授對這個問題馬上回答說：「我不知道，如果您感興趣的話何不自己試試看？」對於不知道的事直接了當回答「不知道」，不要給發問的人模糊不清的觀念，這一點是日本人應多學習的。

尤其是年紀小的小孩，對大人無意中說「可能……吧！」的話，常常會忘了「可能」二字，而錯把模糊不清的答案當做正確答案。

若不太確定答案時，就明白回答「不知道」，再向他說：「我們一起來查答案吧！」這樣應不致損害父母的權威。

養成有問題時不要先問父母，而是先問老師的習慣

有些小孩在低年級時，由於從幼兒期養成的習慣，無論是「遊戲」或「讀書」，凡是不懂的都問父母，至於父母則不缺乏該學年的知識，不論是「課業」或其他事情，知道什麼便教什麼。但久而久之，小孩總覺得父母才是自己一切疑問的「解惑者」，只怕會成爲不懂得問老師的小孩。

關於這一點，父母卻意外的未曾察覺，若小孩心中肯定由父母來教導功課的話，漸漸地便不把學校當一回事，也不認爲上學有何意義。　此外，有些父母過於熱心教學，認爲老師的教法不行，想以「獨自的方法」來教小孩。可是若父母對老師的教法視若無睹，這種對待老師的態度，不知不覺便會影響小孩，小孩學父母輕視老師，上課的態度變得敷衍、應付，結果對小孩不利。

從低年級開始便要小孩有關「課業的事」問老師，在小孩心中種植了在家用功是輔助性的，在學校用功才重要的觀念。父母親所能教的頂多是如何請問老師問題的「問法」而已。

17　讓小孩當「教的人」，小孩也會喜歡用功

有時也讓小孩試著製作問題

有個故事說一個大男人主義的丈夫，自從退休後一直待在家中，且一概不幫忙做家事，後來太太病倒了，不得已由太太教他煮飯，這才發現烹飪的樂趣，之後烹飪成爲他的興趣，還會幫忙做其他家事。

這是說偶爾改變立場，由「吃的人」變爲「做的人」，這才發現過去未發現的樂趣，如此改變立場的方式使用於小孩的「課業輔導」上也是有效的方法。

小孩是用功的當事者，但被教導用功，接受考試等，其立場難免被動，因此很難建立自動用功的態勢，但常會因改變立場也會跟著改變對課業的關心。

例如，不要總是只讓小孩解題，有時也可改採讓小孩試著製作問題的方式讀書，這不僅可改變讀書方式，連討厭用功的小孩都會有興趣走向書桌。

此外試著製作問題，小孩便會思考何處才是重點，在指導課業之外也可成爲很好的指針。此外小孩大都是在自己最了解及最拿手的部分問題最多，因此這種方法一眼便可了解小孩最拿手及最不拿手之處。

得到結果後回到原處，這次改由父母出問題以補足小孩的弱點。

如此反覆訓練，平常讀書時便會思考什麼地方可能會有問題，可快而準確的抓住要點，此外也可達到提高小孩表現能力，滿足其自尊心等種種效果。是務必要嚐試一下的好方法。

讓他看年紀比他小的小孩唸書，就能了解讀書的重點

學校的班級多是把同年齡的小孩編成一班，但也有的試著把不同年紀的小孩編成一班。之所以特意如此做是有種種目的的，其中之一便是以學生間的互相教育爲目的，例如對學生所提出的問題，老師不直接回答，改由旁邊較高年級的小孩教他。

這使小孩由被教的立場改爲教的立場，可提高對讀書的意願，因爲要教別人時，爲了使自己了解，本身必須熟知功課要點，亦即藉著教別人可不知不覺了解課業要點，對本身的用功有很大功用。

這在兄弟姊妹多的時代，哥哥教弟弟，姊姊教妹妹，是很普遍的家庭學習法。在有兄弟姊妹的家庭中，採用此種方法也有利於提高小孩對課業的意願及理解力。可以依不同場合由母親扮演「弟弟」的角色，讓小孩教你功課，改變教與被教的立場。

讓小孩做考卷計分的工作，可以訓練他客觀看自己答案

當我還是個小孩時，一直以怨恨及羨慕交錯的心情，看著老師以紅筆改考卷。有過考試或接受考試經驗的人，都會希望角色倒轉，改由自己計分。

巧妙的利用這種心理，讓小孩改自己所寫的答案，可以得到意外的效果。因爲計分首先可以由解答問題的不同角度看問題，自己找出犯錯之因。此外爲追求正確答案必查閱教科書或參考書，是一次意外的復習。更可以養成客觀看自己答案的習慣，正式考試時也不會再有失誤。

改變用功方式，還有一個優點，那就是可以改變因習慣才去做功課的心態。

改考卷的方式讓他改自己的也可以，有時由母親做答讓小孩批改也行。這時小孩以爲自己成了老師，會很認真的拿著紅筆尋找錯誤，由小孩自己改考卷，可以自我確定考試時的失誤之處，真正考試時也可發揮極大威力。

18 誘使小孩用功的「親子競爭法」

母親的「工作」是提高小孩讀書效率的良好競爭對手

支配人類行動之一的是「競爭原理」。與其一個人努力，不如和別人競爭，互別苗頭，更能發揮能力。例如，以壓倒性的强勢，聞名於象棋界的羽生善治，據說是因有勁敵存在，才能培養如此强的實力。當羽生初露頭角時，曾和一群旗鼓相當的年輕象棋士們成立象棋研究團，在切磋琢磨中使羽生實力大增。

當然這個「競爭原理」也適用於課業上。一般提到小孩功課上的競爭，大部分的母親立刻以爲是同班同學間的競爭，但小孩的對手並不只限於學校的同班同學。在家庭中母親便是很强的勁敵。

我這麼說，可能有人會有所懷疑，認爲「小孩的功課和母親的家事是完全不同性質的東西，無法成爲比較的對象」，但這裡所謂的競爭並非指工作的內容，而是指時間的競爭。例如，比賽母親洗碗、打掃，和小孩做功課哪一個較早完成。對他說：「媽媽擦窗戶玻璃，你做完這個練習，看誰先做完。開始囉！」小孩爲了要贏母親便會拚命用功，如此可使他產生集中力，提高讀書效率。

母親開始工作正是小孩開始讀書的好動機

常聽說一家人在電視機前放鬆休息時，要小孩到書房用功是最困難的。又或者是喝茶、吃點心時間結束，小孩該用功的時間來臨，但無明顯動機，小孩一拖再拖，待在起居室不肯起來也是常聽到的。

這時若父母親自己坐在電視機前，或悠閒的邊喝茶邊催小孩「用功時間到了」，若是如此你不能只責備小孩，說他不停磨菇，因爲小孩心裡不滿，覺得媽媽如此悠閒，只有我要用功，這也是必然的。

每一個人都受「快樂原理」支配，喜歡選擇更快樂，更舒服的行動。但若覺得對自己有必要，就能靠理性的力量砍斷這個需求，著手較辛苦的工作。但這即使是對大人而言也不容易，何況是對理智訓練仍缺乏的小孩，這是無法加以苛責的一面。

所以讓小孩斷然拋棄留戀的心意，達到用功的轉變，必須改變當場的氣氛，因此母親本身應該站起來說「好，我也要開始工作了。」　母親斷然站起來的行動，在默默無言中催促或鼓勵小孩用功。

母親的「探究癖」培養小孩的「探究癖」

曾從某些母親那裡聽過這樣的話。據那位母親自己形容她對任何事都有强烈的好奇心，具有旺盛的看熱鬧精神，所以遇到什麼新奇的事便會埋頭其中追根究柢的打聽或查書，一查究竟已成爲習慣。每當她如此做時，她那才國小一年級的長男便也探出頭來問「在看什麼」。這樣的事情不斷重複，往後那個小孩只要有任何疑問便立刻自己查書。

可見小孩很容易模做母親的習慣，我常被問到：「要如何才能使小孩喜歡讀書。」這時我總是問：「那妳喜歡讀書嗎？」大多數的母親都會說：「不，我討厭讀書，但小孩例外……」依我看這是相當一廂情願的想法。

如前所說，母親的「探究癖」培養小孩的「探究癖」，同樣的想使小孩喜歡讀書，首先母親本身也要喜歡讀書才行。

「課業輔導」原則⑥

切身學習讀書的基本技術

反覆學習「讀、寫、算」，可增加學習效果。

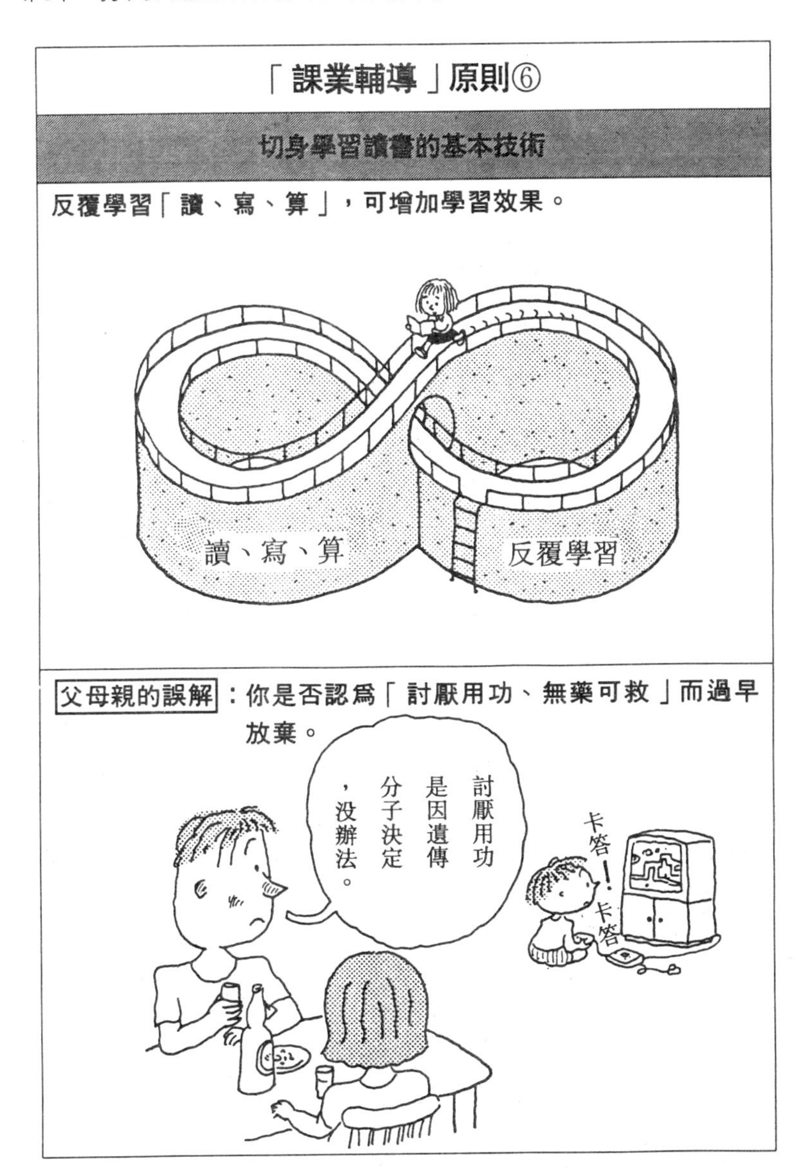

父母親的誤解：你是否認爲「討厭用功、無藥可救」而過早放棄。

19 培養小孩「讀書頭腦」的對待方式

對小孩提出的問題不要立刻回答，先加以反問才能養成自我思考的習慣

我以前當小學校長時，曾帶小孩到遊樂園遊玩，我告訴他們「可以自由遊玩」，沒想到孩子們卻動也不動，使我嚇一跳。雖然有想玩的心情，但平常都是和父母親一起行動，父母說：「現在坐〇〇，接著坐〇〇」等，要玩什麼，以什麼順序玩，全由父母決定，小孩不過是跟著行動而已，所以一聽到我說「可以自由遊玩」後，小孩便無法靠自己的腦子去思考如何行動。

讀書也是一樣，父母親綁手綁腳的教他，只怕小孩不再用自己的腦子思考。可見有時逼小孩站在不得不自己考慮的立場，讓小孩自己動動腦，也是在「課業輔導」的範圍內。

每個人對於不勞而獲的事物即使失去也不足爲惜，反過來說，辛苦得到的便不願失去。讀書也是一樣，由父母親教他，簡單得來的答案，和自己辛苦探究得來的，不僅理解

程度不同，記憶的保持也出現差異。

爲了給小孩思考的機會，也可以利用小孩發問的時候，因此當小孩提出問題時，即使知道答案也不要立刻回答，應反過來問他。例如，反問他「爲何這個計算會變成這樣」，小孩爲了想自己回答出答案，便會拼命動腦筋。

當小孩遇到不懂的字或事情時，應要求他查字典

當小孩問你文字的讀法、寫法或人名、國名、地名等如此簡單的事情時，你如何處理？由於這大多是簡單一句話便可回答出來的，且是和學科的根本部分無多大關聯的細節，因此，便輕易脫口而出的說出答案，而小孩只要是碰到這種事情便輕易的拿來問。身爲父母，怕小孩因這種枝葉末節而停頓課業，失去讀書意願太划不來，因此便如同猜謎節目一般脫口說出答案。

但這不只妨礙小孩自我查閱的習慣，且刻意阻擾該文字或事物在小孩腦中留下印象。因爲雖然麻煩，但透過一一查字典的行動，小孩才不會得到第二手知識，而是透過自己眼睛及身體，確實得來的知識。

這並不是排斥麻煩問題的消極意義，反而具有積極意義，讓小孩自己查字典，進一步

凝聚興趣及幹勁。

在教過小孩某件事後要小孩自己做歸納

我所認識的一位母親，當她唸書給小孩聽，或教他讀書時，必定會說「現在把我教給你的再說一次看看」，這樣做可以給小孩必須歸納內容、復誦一次的義務。目的是使小孩更深入理解自己所學的內容，並加以記憶，也可使教的一方探知對方理解到什麼程度，這也是使讀書效果更上一層的有效方法。

例如，讀書時讓小孩歸納這個故事的主角是誰？是悲劇或喜劇？若是悲劇的話爲什麼悲呢？主角最後如何？只要讓小孩說出內容，就可得知小孩了解到什麼程度，可防止教與被教之間的單向通行，避免無謂的用功。

歸納整理對小孩而言是相當困難的工作，剛開始時父母有必要指導小孩鎖定三要點加以整理。

一旦養成「誰」「何時」「如何」等要點整理的習慣，小孩不但更能正確理解，還可培養重要事項的記憶力，同樣的讓小孩整理當天在學校發生之事加以報告，也是有效的方法。

困難的問題可刻意保留未解決狀態

每個人都有過這種經驗，對於考試的問題，在解開後立刻忘了，但解不開的問題卻久久忘不了，不只忘不了，還常在回家途中想出答案，氣得跺腳喊冤。這可能是因沒有答出來的緊張感持續到考試之後，在潛意識中一直想解開這個問題所致。

一般人對未做完的問題比做完的問題更能維持緊張感。若小孩正著手做數學，卻怎麼也算不出來時，與其長時間繞著這個問題思考，不如在適當的時間時停止，待隔了一段時間後，再依序讓其重做更有效。若小孩有一題解不開就要他一直想，最後由父母教他，這可以說是剝奪了小孩思考的機會。

學校的考試也是一樣，以此要點把問題先看一遍，從會的先做，這種方法經常可以在解決其他問題時，找到不會做的問題提示。

20 「課業輔導」應在日常生活尋根

小孩用錯語詞時當場矯正，才能培養理論思考的能力

在日常生活和小孩的交談中，有時會發現他們用錯了語詞。大部分的父母心想等上了高年級自然會矯正過來，因此稍微有點錯也未加理會，但事實上詞語的正確使用方法和目前的讀書，尤其是成績的提升有密不可分的關係。

因爲雖有年級差異，但所有的科目若以較難的方式表達，則須藉語詞概念的傳達教他理論的構成。換句話說，學習正確的語詞，和培養明確思考構成理論的思考力一脈相通。不論讀書內容有無寫成書面文字，同樣是口頭語，只有學會正確的用法才能建立所有科目的用功基礎。

尤其是被看成構成理論要素的助詞或接續詞，要一一當場矯正談何容易，但一有錯誤還是須當場矯正，又像代表過去、現在、未來的時間語詞使用法，以及主詞爲無生物或生物時動詞用法錯誤，這些情形在低年級小朋友身上最常見，只有仔細訂正這些錯誤，才能

建立起綜合基礎學習力的根本。

批改小孩作文時，應嚴格批改，但對語彙可較放鬆

有些小孩在作文中出現這樣的文章：「我想這一次我來到打者，絕對要打才行。」萬一你看到了這樣的文章，你會對小孩怎麼說，或許你會矯正他「來到打者」這種說法很奇怪，應改成「成爲打者」才對，若要活用「來到」這個詞，應改成「來到球場」「來打棒球」——或許你覺得只能改成如此，但果真如此嗎？

其實這個小孩想說的是「輪到我當打者了」，他這麼說是要强調「打者」這個語詞的使用法，也許當他這麼說時，心裡還描繪著球棒已交到手上的情形。若只說「成爲打者」，就好像下一場比賽是以後的事，没有真實感。

我們常以「雨淅瀝瀝的下」來表示下雨，或「河水潺潺的流」來表示水流，當然表現手法並不可如此鎖定，但小孩有限的語彙，卻限制了小孩的思考力或養成柔軟的思考方法。可是，文章基本的使用法務必要好好學會。

只要加快平常的生活節奏，便可加強應考能力

想在一天二十四小時的有限時間中做更多事情，必須事事都乾淨俐落，加快每日的生活節奏才行。爲此生活要有節奏，例如讀書一小時，吃晚飯三十分鐘等，技巧改變生活的段落。已培養成這種生活習慣的人，雖然本身工作忙碌，卻還能撥出時間打高爾夫球或種植盆栽，充分享受生活樂趣。

反過來說，一整年都埋怨工作忙碌沒暇遊玩的人，生活必是無規律，將工作及雜事混爲一談，做事拖泥帶水。

這一點不只是大人，小孩也是如此。生活節奏快，吃飯、遊戲、讀書都能技巧轉換的小孩，在短時間內愈能集中精神用功，並撥出時間做自己的事。而且養成這種習慣的小孩對付實際考試的能力愈强，雖看不出何時用功，但成績一直很好。這可以說是對應付考試很有一手，但仔細考慮一下，考試本來就必須在規定的時間內完成一定的量，因此加快生活節奏同時也可累積考試經驗。

第4章 使小孩成績扶搖直上的「課業輔導」

千萬不能失之交臂的用功法要訣

21 任何科目都通用的有效用功法

教他讀書時不要重視「結果」而要重視「方法」

據說現今學校教育的缺陷之一，在於填鴨式的知識至上主義，將教育的重點放在給予知識上，至於如何學習，如何解決所給的課業等「方法論」則被忽略。

的確，考試萬能主義容易淪爲考好就行的結果，這一來便培養不出自我思考、自動用功的習慣。

能彌補這個缺陷的，應該是家庭教育，但依我看，父母比學校更重視答對及考試結果。父母只教小孩如此回答，卻不教小孩如何回答，也許父母心想，若一一如此做的話可能維持不了進度，而這種做法即使暫時使功課進度落後，但到了高年級時便可嶄現效果。

這一點補習班也好不到哪去，尤其是所謂的升學補習班，他們只教學生這個問題的解法，這樣也許能考好眼前的考試，但那樣的死記卻很難成爲切身的知識。「小學時成績很好，但考上好的中學後成績卻一蹶不振」，如此辜負父母期待的個案，都是由於爲了考試而死記知識，很快便將記住的東西忘掉，使得之後的課業銜接不上所致。

不用說，教育並不是短距離的比賽，而是一場長程的馬拉松賽，若父母對眼前的考試成績一喜一憂，拼命催促小孩，小孩在進入終點之前便會氣喘不過來。所以如同我前面所强調的那樣，小學時期應將「課業輔導」的重點放在學習讀書的方法上，而不必太偏重結果。再說父母能跟上跟下的教他，也只有在小學時期，上了國中、高中後，即使想教也没辦法，到時若未切身學會求學方法的小孩，將會被迫出局。

使小孩切身學會求學的方法，應以小孩感興趣的事物為核心

提到讀書教材不一定是教科書而已，對好奇心旺盛的小孩而言，凡是他感興趣、關心的事，皆可做爲教材。

例如，對喜歡打棒球的小朋友，讓他計算喜歡球隊的獲勝機率，或每天計算他所支持選手的打擊率，這便是在做數學，許多個案便是以此方法爲核心，使數學變得有趣。另外，有些小孩偶然和父母一起抬頭看看夏夜的星空，因對星座感興趣而著手調查自己喜歡的星座，因而變得喜歡自然。又父親爲砌磚工匠，因經常幫父親抬磚，而對「數字」感興

趣的高斯，後來成爲數學天才，便是一則有名的故事。

小孩現在對什麼感興趣，如何將其連接到課業上，這是只有父母才做得到的重要工作，以小孩所感興趣的事物爲核心，讓他切身學會求學的方法，小孩自然能體會讀書的樂趣。此外有許多父母誤以爲像學校或補習班那樣看教科書或做考卷集才是用功，往往因此而砍斷了好不容易萌芽的學習才能。

有時暫時離開課業，和小孩子一起遊玩，了解一下小孩子所關心的對象，也是重要的「課業輔導」。

低年級時愈預習反而會有負面效果

現在是個補習班當道的時代，但聽學校老師說，補習班的害處之一便是小孩不再認真聽課。我認識一位老師曾嘆氣說當他拼命上課趕進度時，卻從學生口中聽到「這早在補習班就聽過了」這樣的話，這不禁令人懷疑學校到底有什麼用？再看到學生只把學校當做補習班讀累了之後的休息場所，這樣根本得不到教育的效果。

受到這種補習班熱潮的影響，在家庭學習上也認爲不能由學校支配，結果便將重點放在不斷超前進度的預習上，忽略了復習。家長擔心光靠學校上課恐怕考不上，這固然也有道理，但把學習內容搶先學校一步往前推，只會灌輸小孩錯誤觀念，忽略學校課業。

尤其是低年級時正是必須切身學會基礎學力的階段，所以不應該搶在上課之前，而是應該以徹底學會學過的東西爲先決條件，因爲小學時期確認在學校中所學過的事物，加深理解、復習，才是左右小孩成績之道。

即使在小學階段比別人快一步，但前面路途遙遠，假如未養成認真聽課，牢記學習內容的習慣，到了國中、高中，便會落在別人後面。

小學時期的課業，原本就沒有困難到必須預習才能理解的程度。我認爲在家庭中的學習以「復習八、預習二」的比例溫習才理想，而學習時也應將重點放在有興趣的課程上，不必拘泥小節。

升上高年級時要施以圖示學習內容的訓練

小孩的記憶以九歲左右爲界，從「聽覺型」轉爲「視覺型」，也就是說變得更擅於看而非聽，在理解上也更快、更正確。

這個「視覺型」的方法也有二種，一種是讀而充分理解，一種是看而充分理解。例如第一次做家庭訪問時，與其以「再○○站下車，到了蔬菜攤後轉彎……」的文章式說明，不如畫地圖更容易懂。同樣的在小孩的課業上也有圖示比文字更易「一目瞭然」的情形。

尤其是到了「視覺型」的高年級小孩，多施以看著主動了解、看著被動了解的訓練，對將來做更深一步的用功時很有助益。

例如，讓他舉出會成爲學習關鍵的重要項目，再讓他畫圖表示出和其他事物間的關係。圖示對更清楚理解內容是有必要的，當小孩思考如何圖示時，就能更加深對該內容的理解。此外經過圖示後可以了解曾讀過的內容，也較容易記憶。

透過畫圖的訓練後來讀，能養成簡單扼要整理聽講的內容，並加以記憶的能力。

22 懂得基礎，很快便能做應用問題

最有效的參考書便是課本

最近每家書局都在出售數目龐大的參考書，到底該讓他讀怎樣的參考書比較好？這已成爲父母的煩惱之一。

也有父母誤以爲參考書中，有課本中所没有的資訊或知識，所以參考書比教科書好，但事實上没有比課本更好的參考書。

因爲課本是由許多兒童心理專家與教育學者，以科學根據研究小孩智能發達所做成的課業總匯。因此與其一本接一本的買參考書給小孩，不如反覆學習課本，對基本知識的理解效果更大。在這之後再著手做應用題或考題還來得及。

根據這個經驗，與其讓參考書混亂小孩的學習，不如先集中於一本課本努力用功，效果會更好。

課本的復習經常要從第一頁開始

誰都有過這種經驗，在學習鋼琴或小提琴時，若不斷學習新曲，很容易便忘了開始時所學的曲子，因此真正能彈奏的曲子並未增加。爲了彌補這個缺點，世界知名的「鈴木小提琴教室」練習時經常會回到最初的地方，反覆彈奏從初步到現在所彈的曲子，如此不但不會忘了以前所學的，也累積了基礎練習，想不切身學會都很難。小孩在復習教科書時也和這情形一樣。

一般提到用功都是只復習現在所學的前面一點點而已，之後便是繼續將進度往前推的「追加學習」，但尤其是對必須切身掌握基礎的低年級小孩而言，經常由課本第一頁開始復習的「重頭復習訓練」方式更有效。

也許有些家長擔心如此做法完全沒有進度，會趕不上其他小孩。但這方法在了解的地方只要稍微過目一下即可，並不會耗費太多時間，反而有因基礎穩固，在進入下一個進度時，速度會斷然加快的優點。

每看課本或參考書時便讓他讀一次目錄

一位叫做Orsble的學者所進行的實驗中，有這樣一件事情。

在某大學中，將學習冶金術的學生分爲兩組，一組在第一次上課時便進入冶金學，一組則在第一次上課時先對全體學生說明「何謂冶金學」，之後才進入本題，據說剛開始較落後的一群卻後來居上，得到好成績。

從這個實驗中所引出的是「有意義需要學習」這個理論，稱爲「先行組織體」，由結果發現讓學生先接觸整體的概念，縱使未充分了解，也可較快學會具體內容。

這種想法可以應用在小學生的課業上。

在此有一個例子，便是利用課本或參考書的目錄。若學生只學到一半，在看課本或參考書的目錄時，當然未學過的會看不懂，但每次一打開書先讓他看一遍目錄，便能掌握現在所學的內容是在全體中的哪個位置，更易了解其前後所要學的有何關聯。如此可技巧的擺放課業重點，學習更有效率。

輪流進行「反覆練習」與「理解」可產生相得益彰的效果

假定這裡有一本國語課本，及一本國字練習簿。萬一你的小孩國語成績不好，想利用一個月的暑假讓他每天用功三十分鐘，設法培養國文能力，下面兩種方法你會選哪一種。

①每天讀課本二十分，做國字練習簿十分，將三十分鐘的讀書時間一分為二輪流進行。

②剛開始二十天每天讀三十分鐘教科書，徹底培養基礎，之後十天每天做三十分鐘國字練習簿。

先說結果吧！答案是①，每天輪流看課本及做練習簿，讀書效果較好。

根據學習理論，這是當然的事。

主要是因課本等教學原則所教的「理解」與反覆訓練的「反覆練習」使用頭腦的方式不同。人類的頭腦若以同樣方式加以使用，很快就會疲勞。就這個意義而言，將「理解」與「反覆練習」分離，在一定時間內持續做某一件的②法，若執行的愈徹底成效愈不彰。

第二，站在更積極的理由上來看，「理解」和「反覆練習」輪流做較好。因為「理解」具有原則及一般論的抽象性格，相反的，「反覆訓練」則具有具體、實際的性格。學

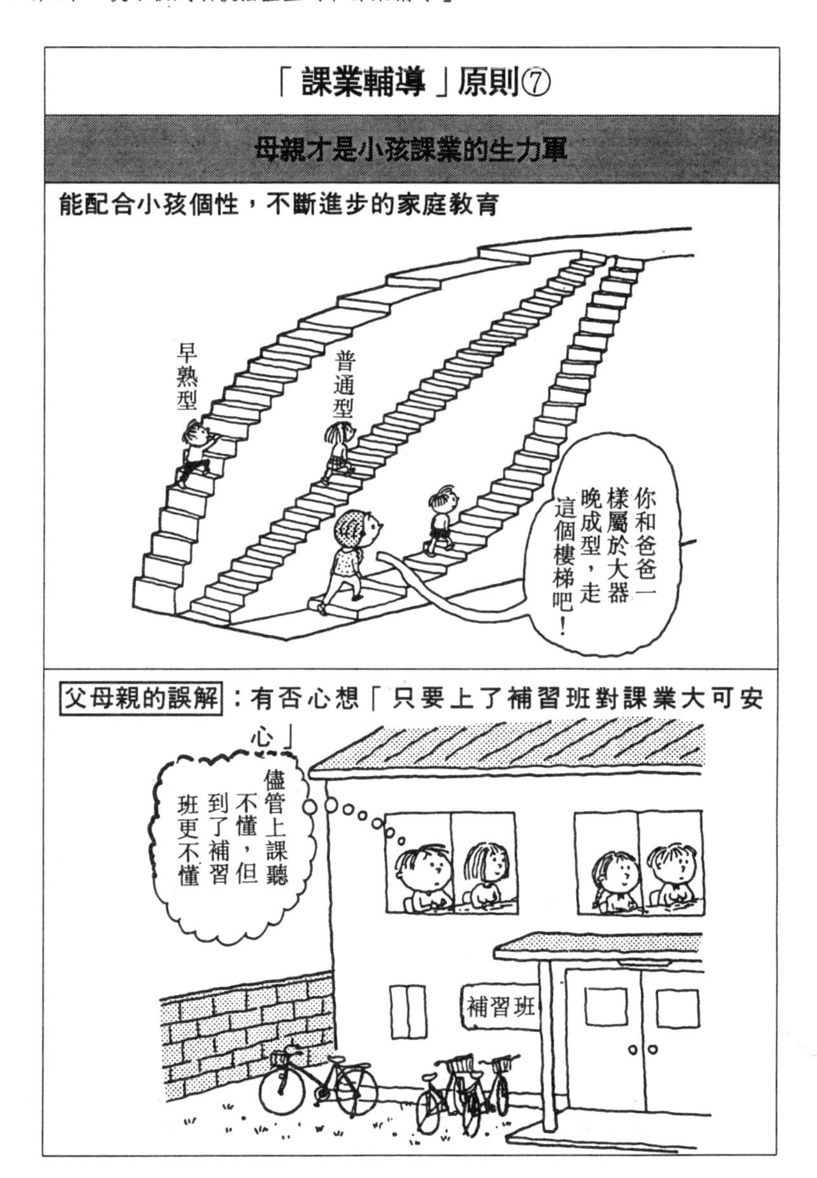
「課業輔導」原則⑦
母親才是小孩課業的生力軍
能配合小孩個性，不斷進步的家庭教育
早熟型
普通型
你和爸爸一樣屬於大器晚成型，走這個樓梯吧！
父母親的誤解：有否心想「只要上了補習班對課業大可安心」
儘管上課聽不懂，但到了補習班更不懂
補習班

習總是「學習原則，再學實際而具體的東西」「從具體中引出一般性或原則」，在「抽象→具體」、「具體→抽象」的來回作業中反覆完成。從這個意義上來說，輪流反覆進行「理解」與「反覆練習」是真正理解與熟習的方法。

尤其是數學課本和練習本的關係，更能使這個學習效果顯著。

23 有技巧的讀參考書法、使用法

在課本、參考書的關鍵語作記號，可提高復習、記憶的效率

雖然都由參考書或課本的第一頁讀起，對成績的提升非常有效的說法，但在不斷推進的科目中，要實行此種復習法非得不斷加快反覆閱讀的速度不可。當然僅以眼睛追趕字面，內容沒有進入腦中也達不到復習的效果，所以要追求速度也要在加深理解與記憶上下工夫。

爲此值得推薦的有效「課業輔導」法之一，便是一再反覆讀過的課本或參考書中的關鍵處畫上紅圈或紅線。也許在課本中最重要的地方畫上紅線這個方法沒什麼稀奇，但這裡所介紹的方法可以注重「重要部分」，亦即不是像文章或小節那樣的長度，改成「短句」，也就是說，在文章中最重要的關鍵處做上記號。做記號的語句要愈短愈好，此外每一頁中做記號的地方愈少愈好，也就是說找出打開那一頁時，不必一一看內容，立刻就能

回憶起整頁內容的語句。

第一，可使該部分成爲「速讀」。每一個人都具有看事物時不必看細節，也能鳥瞰全體的「全景視能力」，透過關鍵字的明顯化更能發揮全部能力，這可使復習效率大幅提高。此外累積找出關鍵字而讀的練習，可培養出無特別記號也能瀏覽大意的速讀能力。

第二，除了「速讀」的效果外，也有「記憶」的效果。在長篇文章中做記號的地方即可明顯記憶，這種印象深刻的語句，一方面再回憶時可輕易記起，而且由於都是重點，考試時也能寫出不離樞心的答案。

小孩每查看字典或參考書時便要他在該處做記號

凡是準備高中、大學入學考試，使用過單字本的人都有過這種經驗，我本身也有查過好幾次仍尚未記起的單字，因此便特別用心記，心想「這次非記不可」。

爲何會分得出曾經查過的單字呢？當然是我在曾查過的單字上做了記號。當時我不只是頭一次查的單字才做記號，而是每次都做不同的記號，因此可一眼看出該單字查過幾次。每翻開單字本時，查閱次數愈多的便是不拿手的科目，這有利於克服弱點。以我的經驗來說，這個方法是相當有效的。

小學生也可充分利用這個方法，因爲小學生無應考壓力，依序增加的記號反而使他快樂，喜歡上使用字典或參考書。此外小孩也會思考：「奇怪，這是曾經查過的項目，到底在哪出現過？」而成爲確認過去的課業或知識的相關事項。

可見在字典或參考書上做記號具有喚回對課業注意的訊息效果。

在考卷中不論可解答或不可解答的問題，都要立刻作上容易分辨的記號

很多小孩在做考卷時只在意做了幾頁，做完一本後即以爲已經沒有用，便收起來或丟掉。但考卷正是自己過去所走過的失敗或成功的「記錄簿」，必須再一次回顧才行。

這時父母稍微給點忠告，對小孩以後再重看考卷時很管用。亦即把每天所做的題目按照難易度以顏色加以區分，①輕鬆便能做答的是藍色，②答得出但須花點時間的是黃色，③答錯的用紅色，④完全未做答的用黑色，像這樣在問題上做上不同顏色的記號。

像這樣在做完題目後，小孩再重新看過一次，自己也能清楚看出自己的弱點。所以一到爲應考而做復習時，以③以後爲重點，或以③、④爲中心復習，有利於提高效率，也適於彌補缺點。

每做完一題要「立刻」確認答案

有些小孩在做練習簿或考卷時，做了好幾頁後再對答案，這並不是好方法，我認爲把題目集合起來一起對答案或許效果不錯，但如此做的話必須把結果的對錯『保留』在心中，反而無效。

心理學上也確定在做完後立刻回以答案，可使以後的工作更正確。有一個叫Mcfarson的心理學者做過一些實驗，將每隔○・七秒按一次電鍵的單純作業分爲兩組，其中一組一面告知結果一面做，另一組不告知結果，實驗結果發現前者工作的正確度高出許多。首先在步驟A，使受試者判讀電流表刻度，可測知自己作業的結果，如此做可減少錯誤反應。接著將步驟B改爲受試者看不見電流表的情形，做同樣的作業，結果錯誤反應的數字一下增加好多。

由此可見解開問題後儘快回饋結果是很重要的，這稱爲「即時確認原理」。

即使是大人，愈早得到工作結果的反應，愈能提高工作意願，更何況是小孩，這個「即時確認」的效果，當然是很大的。

24 教他這個要領可增強小孩應考能力

養成反覆讀二次考卷、練習簿的習慣

在爲小孩考試時，有很多個案是因小孩不懂題目問的是什麼而答不出來。單靠考試結果便輕易下判斷，說他「做不來」，其實並不是不懂，只是因無法解讀問題的意思而形成成績不好的原因，這種個案出人意料的多。

小學時首先要養成充分理解題目的能力，從日常生活中做解讀力的訓練是很重要的，更有即效性的做法，是養成反覆讀兩次題目或練習簿的習慣。

這種方法易被輕視爲速成用功法，其實這個方法不僅可以提高考試成績，對培養解讀力更爲有效。因爲考卷或練習簿不同於其他課外讀物，它們都是短問，而且都要求回答，所以有時不必呆板的一一做題目，只訓練小孩看題目的內容，若題目內容懂了後立刻看下一題，如此有益於培養解讀力。儘可能將考卷或練習簿做爲訓練解讀力的道具加以活用。

在日常生活中做此訓練可防止錯讀題目或犯錯。

一題一題蓋住題目的解答，才能培養對題目的集中力

我在中學時，一到圖書館就看到有的學生以毛巾蓋住整個頭，目不轉睛的用功。問他們之所以如此做的理由時，他們回答若别的東西進入視線內，便會分散注意力無法專心用功。我雖不像他們那麼用功，但爲了提高集中力，不相干的事物不要進入視線內，這是很有道理的。同理，在用功中關掉房中電燈，改用桌上型檯燈，對提高集中力是很有效的。

同樣道理，容易分心的小孩爲了使精神集中於一個題目上，以紙蓋住其他題目，使題目以外的東西不要進入視線中也是有效方法。若平時做此訓練，不只在學校考試或入學考試中，能發揮比實力更大的力量，對培養集中力也相當有效。

考試的題目應讓小孩看過一遍後，把考卷蓋起來，再詢問他内容

有的小孩雖把課業内容仔細了解，但一旦到了測驗時，卻連平時實力的一半都無法發揮。也有的小孩讓家長認爲在平時的親子對答中應對如流，不可能考試考的如此離譜。

這時在責備孩子「爲何連這麼簡單的題目也會做錯」之前，不妨仔細重看一次測驗的

題目，便了解爲何小孩會犯錯。

不用說，小孩是不懂考卷上的題目「要問的是什麼」。例如學校曾出過這樣的題目：「萬一發生如下的情況時，你會到哪個房間去？①供餐數不足時，②肚子痛時，③有事找老師時」，在收回的考卷中第①題回答「供餐的阿姨」的小孩很多。

我們不難想像題目明明問房間，小孩卻回答「供餐的阿姨」的理由。因爲若考慮到供餐數不足時，首先便是要去拿追加的份數，這時當然是要到供餐室去，但小孩有自己的想法，因爲當時供餐室中若沒有供餐阿姨在也是無法可施，所以小孩靠著實際感覺答題反而答錯。

當然在實際生活中供餐數不足時，無論是「去供餐室」或「找供餐的阿姨」都是正確答案，但在考試時没有答對是不給分的。對犯這種「失誤」的小孩，教他「考試對策」也是「課業輔導」重點之一。

爲使小孩正確了解考卷在問什麼，先讓小孩看一遍考卷題目，以便正確理解，訓練他在答案之前把考卷翻過來也是一個方法。之後再問小孩考卷問些什麼？該回答什麼？若小孩對這題目能正確回答，就等於對題目了解了一半以上，只要做到這一點便可預防「明知道卻做錯」的失誤，於是每天辛苦用功的成果，便會充分反映於考試的成績上。

做練習題先做容易的、不費時的

同樣是做考試的題目，在家中練習時和在學校練習時有很大的差異。其差異之一便是學校的考試有嚴格的「時間限制」。因此常會出現小孩從學校回來後槌胸頓足，遺憾的說：「如果時間夠的話，可以全部做完。」

有的小孩在性格上天生散漫，只要給他足夠時間做的話也能做對，但考試卻說是考不好。不過，像這種時間不足的原因不只是性格上，也有人是在簡單的時間分配上犯錯。

例如，在困難且須耗費較長時間的題目上浪費太多時間，再想要做簡單的題目時，時間卻不夠；或者是小孩不管題目的難易，都要按照順序，從第一題依序解答，有時對小孩而言難解的題目卻都聚集在前面，結果是「該會的」題目「沒時間做」，這和「試著做」卻「做不來」是一樣的結果。

平時在家中讓小孩做練習題時，還是先讓他將所有題目看過一遍，或按所需時間長短的順序下去做，若能做好時間分配的話，就可避免「該會的」題目卻「沒時間做」的遺憾。

當答案不太確定時，叫他寫頭一個想到的答案

常遇到針對一個題目想出好幾個答案，在舉棋不定時選了第一個答案，結果卻答對了。我經常會記不起接洽開會的時間，想來想去，大多是最先浮現的答案對的時候多。像這樣，人類的直覺、第一印象乍看之下不可靠，卻常能意外的正中核心。

因此，平時就教小孩在不肯定答案時正視第一個直覺，緊急時相當有用。我如此說並不是指分數考好就可以的意思，只是按照一般情況，解決題目的線索都是由過去的體驗、知識的基礎下直覺產生，經過嘗試錯誤後找到正確答案，也就是說當心中有懷疑時回到最初的直覺是很重要的，但若一味依靠直覺是無法解決題目的。

最重要的是要教小孩遇到答案有所懷疑時，回答最初想到的答案，以解決問題。

考試前的牛刀小試可忽略考卷的順序做練習

學校的考試如同前面所提到的，有「測驗」及「成長考試」二種，在家庭中做題目練習也包括這二面，懂得這兩面才能改變考卷的使用法。

換句話說，普通的考卷按不同單元將同種題目聚集在一起，由易到難加以排列，因此

爲了「成長」或「培養實力」應按順序，有系統的做這些題目練習才對，但這和考試前爲了「測驗」、「培養實力」而做的題目練習情況稍有不同。

考試是將以前學過的各種種類、各種形式的題目中最具代表性的選出來出題，所以像做考卷那樣按照順序做的方式，給同種類題目提供了暗示，或者是由易到難的排列本身給了提示，無法真正測出實力來。

在考試前的「培養實力」時，可忽略考卷的順序，跳著做或反過來做都可以。

25 使成績立刻上升，預防不小心犯錯的方法

從後面往前看一遍題目的答案，便容易發現錯誤

有時和別人談話時話題愈扯愈遠，不知主題談到何處，這時每個人都會倒過來想剛剛的話題從何而來，接著倒數第二個話題從何而來。

針對課業而言，這樣的「回溯確認法」能有效發現問題點。例如，即使是簡單的加算，若以和最初的方法相同，由上往下加便很難發現錯誤，若反過來由下往上加，大多會意外的發現錯誤。這是因爲人類的思路一旦朝一個方向行進，即使有錯誤，卻因同向反覆進行，使錯誤的水路愈流愈深，難以出現新流向。就如同被堵住的橡皮管一樣，固定一個方向的水流沖不開，但若由反方向沖水即可輕易沖開。同樣的道理，若往反方向思考，就能排除思考上的阻塞或錯誤。

在入學考試的計分上，爲防範錯誤於未然，都是由三個人分別計算總分，你不妨也教

小孩藉著「逆道而行」，可在一人的腦子裡實現「另一個頭腦」的幫助。

爲防止不小心的失誤，訓練小孩要有大概答案的標準

小孩成績無法提高的原因之一是不小心犯錯。例如，看過數學的答案，便會發現很多意外的失誤，是因爲犯了位數上的錯誤，或把加法算成減法，減法算成加法。雖然頗具實力，但這樣的失誤卻使成績無法提升，無論本人或父母都深覺遺憾，於是便讓小孩上各種升學補習班，接受各種模擬考試，但接受許多考試並不等於可以防止這種失誤。

不小心犯錯是因爲過於注意到細節問題，等於被題目吃掉了。以數學來說，因爲只將精神集中在細部的計算上，卻因看錯位數失了大局，結果很清楚的事卻會犯錯。俗話說「見樹不見林」，容易犯這種錯誤的小孩，與其讓他增加接受考試的機會，還不如在平常的用功中訓練他見「樹」的能力。

例如，在練習計算時，訓練的方式應是先有大概答案的標準，先見「林」之後才是一棵棵的「樹」，亦即進入細部的計算訓練。

讓他將解開題目的草稿寫成日後容易看懂的形式

針對數學的計算題、應用問題、圖形題目，或國語的作文、閱讀測驗、字意測驗以及其他各科，在解答出題目時，有時會以便條紙寫下草稿。

你的小孩在家用功時，到底如何用這種便條紙做草稿呢？有些小孩心想不是答案不計分，所以在紙上亂寫，遇到這種情況家長應加以提醒。

也許有人會覺得奇怪，連寫草稿也需要用心嗎？其實一邊整理一邊寫下草稿因而解開難題的例子並不稀奇。例如，在計算題目時，若草稿寫得像樣，不必重頭也能找出錯誤。作文也是一樣，若有做草稿的話，最後寫出來的文章一定比草稿好很多。

但如果草稿亂寫的話，以後再看便很難找出爭論點，因此，即使只是草稿也不要亂寫。所謂的草稿不應該只是無計畫的書寫，應該以往後容易查看的方式書寫，如此也便於頭腦做整理。

26 只有在家庭中才能做到的「讀、寫、算」訓練

短時間也好，應天天做文字與計算的訓練

有人說最近小孩的學力可說是「傾斜的三腳」。亦即在自古即被看成初等教育三樑柱的「讀、寫、算」中的「寫」與「算盤（計算力）」已變得很差，在如此脆弱的基礎上，不管想要堆積什麼，都會稀瀝滑啦的滑下來，就好像少了兩支腳之「傾斜的三腳」。

對這一點我也有同感。關於「讀」這一點，電視及漫畫所提供的機會雖不太充分，但也有學習機會，父母應多注意「寫」與「算」的訓練。

也許父母擔心低年級的小孩練習文字或計算會過於無聊，持續不了多久，其實愈是低年級的小孩，愈是殘留著原始的幼兒心性，對單純的機械式訓練不像大人想像的那麼痛苦，只是要進行長時間的訓練可能辦不到。

此外，這種機械式的訓練，與其花長時間持續集中學習，不如改爲重複學習才有效。

即使時間很短，只要每天反覆練習就不會感到痛苦，在不斷努力用功下，建立堆積往後基礎的「三腳」。

「讀、寫、算」要又快又正確

教小孩讀書時是否告訴他「慢一點沒關係，要正確才行」。但就某個意義上而言，實際情形正好和對小孩所做的要求相反。因爲像以正確爲優先的「讀、寫、算」單純作業，做得快才能升高精神的緊張，正確的機率相對的也較高。

例如過去所慣用的打字機，雖因文字處理機的普遍而消失蹤影，但老手打字員以驚人的速度打字，速度雖快卻幾乎不犯錯。這不只是簡單的習慣問題，經過加快打字速度後才產生工作的集中心及正確性，萬一要求他們慢慢打，反而分散集中力，出現錯誤百出的內容。

亦即在練習「讀、寫、算」時，如何集中於該課題才是正確性的關鍵。儘快著手該課題的態度是產生集中力的來源。

當然，在這裡所說的快並不是指雜亂，但剛開始時要又快又正確可能辦不到，所以一開始將正確性擺一邊，將重點放在速度上著手用功較好。

難看的字不只誤了讀者，也使寫的人出錯

要培養基礎學力，練字是不可或缺的，但有的小孩學力達到某個程度後，便忽略了字的正確及端正性，我如此說也許有人反駁字的問題在內容、不在外形，所以只要寫的內容正確，字稍微有錯或難看又何妨。這種意見乍聽有理，但果真如此嗎？

其實不正確的字、難看的字會誤了自己本身，這並不稀奇。在我所知道的學生中，仍有人在做數學的計算題時，一向習慣數字亂寫，因此在重要的考試中把9當成7而慘遭滑鐵盧。因此要灌輸小孩不正確的字不只誤了看的人，也會使寫的人本身深受其害的觀念。

單純的計算題目，是培養數學感覺的基礎

討厭做計算練習的小孩不少。有些家長認爲可以使用計算機，何必刻意練習計算。

但小學時充分做計算練習是很重要的，因爲計算練習目的不只是正確做加、減、乘、除，導出答案的技術練習而已。的確，反覆做單純的計算練習，乍看之下浪費時間，但其實小孩須透過這種乍看浪費時間的反覆練習，對「數字」產生親切感，不知不覺中便能切身學會數的概念，量的概念。

數學的基礎在於計算練習，這是錯不了的。

在日常的會語中可使用分數、小數、百分數

在累積學習數學的學科中，一旦受挫，要再跟上課堂進度是相當困難的。但是在學校無法配合小孩的腳步推進進度時，難免會出現一些「落後者」。

最容易出現這些跟不上進度的，是在出現小數、分數的三、四年級左右。新課程不同於以前整數的加減乘除，而加入了新的數字概念，對小孩而言是相當難以理解的。反過來看這件事，也可以說攻占了分數、小數，正是可以讓我家小孩「不落後」，成績進步的重點。

因此，父母親做得到的是要讓小孩趁早親近分數、小數、百分數。例如像：「我只給你吃二分之一的蘋果」或二五％的零用錢要存起來」等，平常逮到機會便以分數、小數，百分數來表示也不錯。若在平常生活中透過具體事物來教他，這種新的數字概念，在感覺上也變得可以理解，學校課程由整數跳到分數也不致混亂。

計算的基礎訓練，有效發揮加減式訓練的效果

以前看過的調查數字顯示，小學畢業時加、減、乘、除四則運算完全會的學生只佔三〇%。如今可能沒有那麼差，但數學落後的小孩仍占大多數，這是事實。

這個原因很多，但至少可明顯指出計算的基礎訓練不夠佔重要部分。單靠學校的上課，計算練習是不夠的，因此家庭訓練成爲重要關鍵。

尤其是加減算的基本補數關係，亦即像一加九、二加八、三加七這樣，兩數加起來等於十的關係，在低年級時便要教小孩徹底學會。

在此，我想推薦的是加減式訓練。這個方法，首先父母以猜拳的要領伸出三隻手指，相對的讓小孩出加起來等於十的數，在此應該要伸出七隻手指，當然這時可使用兩手的手指。

這要以各種數目，反覆做好幾次。因爲是使用手指，剛開始時父母出了一個數字後，小孩可看著手指思考還要加多少才成爲十。之後漸漸加快速度，即使不用手指也可以反射性的說出答案。到了這個程度，訓練方向可轉到不再用手指，只發出聲音或靠寫在紙上的數字訓練即可。

這個方法的優點在培養小孩對這種訓練不可或缺的反射性應答能力。亦即一邊做遊戲，一邊在不知不覺中培養計算的基礎能力。

讓小孩天天寫日記，即使只寫一行也可以

前面已說過，整個科目成績改善環節之一便是培養解讀力、表現力，我認爲培養方法之一便是讓小孩天天寫日記，即使一行也好。這不只是提高表現力的訓練，對養成讀書習慣也很有效。

此外，也可教給小孩積少成多的樂趣，隨著升上國中、高中，課業負擔加重，應該也會有料想不到的好結果。

以我本身爲例，我在小學時是個討厭唸書的問題學生，使老師及父母大傷腦筋，想不到偶然之下開始寫日記後，總覺得能有邏輯的思考，並培養出可具體整理的表現力。所以我總覺得之所以能順利上國中、高中，和寫日記的習慣有很大關係。

站在家長立場而言，讓小孩習慣寫日記，可使小孩懂得思考今後的問題，也可做爲課業教法的參考。

為了增加解讀力，不要只以國語課本為教材，應以有趣的事物為教材

在小學時，與其讓他理解各個科目的內容，不如讓他培養解讀力，才是提高成績的要訣，這一點在國語初期教育界頗富盛名的石井勳先生所做的實驗中也得到證明。不過，提到解讀力立刻聯想到國語課本或童話，這是稍微有點疑問的。

例如，我所認識的某位小學生，他很喜歡棒球，在收集了職業棒球選手的照片卡片後，便會讀選手的名字，如此一來便轉向報紙運動欄或棒球雜誌感興趣，漸漸的便可以了解難懂的內容。

其實這小孩學校功課並不好，父母曾很擔心的找我商量，想不到拜棒球選手的卡片之賜，很快的不只是國語，連數學、社會都爭得一、二名的好成績。

不只是小孩，大人也是一樣，沒有一件事比被迫閱讀更痛苦。所以，要養成解讀力，首先要以小孩感興趣的東西為教材，若所看的和國語、社會、數學有關，對科目內容也有利，但也不必勉强和功課連在一起。所以不必斤斤計較於閱讀「名作」，凡是小孩感興趣的多讓他讀，對解讀力的培養也有效。

越早養成默讀書本的習慣愈好

剛學會識字的小孩，最初一個字一個字撿起來讀，漸漸的便趨向單字，字詞字句、文節、文章段落，一口氣能看的單位變大，讀書速度也加快。在這個階段中具有重要意義的，便是默讀的習慣。

按一般情況來說，隨著讀書速度的加快，自然會養成默讀的習慣，但其中也有小孩始終要一個字一個字出聲閱讀，或有「不動嘴便無法看書」的習慣。出聲閱讀固然是很重要的事，但要發揮這效果，除了要有默讀的基礎外，還必須有意識的加以使用。

至於爲何說默讀的習慣重要？因爲在讀書速度加快、知識或資訊獲得能力大幅增大的同時，思考時不可缺少的「心言」，亦即不表露出來的語言使用法也可以熟練所致。我們稱讀書時眼睛所過之處，和實際上腦中理解部分之差爲「span」（徑距），默讀時這個徑距加大，在因此而加快讀書速度的同時，可進行包括腦中語言的解釋，重組、批判等頭腦活動的訓練。

不可思議的是這麼重要的默讀習慣，在中世紀以前的人類身上幾乎不存在。以「懺悔錄」而有名的聖奧古斯丁大知識份子，據說在看到有人默默讀書時也會大吃一驚。從不同角度觀察，近世以後驚人的文明發達，可能是人類已切身學會默讀的技術。

對身爲現代成人的我們而言，完全學會默讀的習慣，其實在知性發達上具有重要意義。若小孩不停的出聲而讀，應該儘早讓他改爲默讀，對小孩的將來有利。

父母是小孩的「教育設計者」

以上從各個角度談到「課業輔導」，最後只强調一件事，那就是父母與其綁手綁腳的干涉小孩讀書，不如刻意當個「教育設計者」。爲了使小孩本身思考如何愛上用功，如何提高讀書效率，可經常在小孩身邊提供暗示，做個使他發現答案的「設計者」。

父母該做的不是硬把小孩帶到書桌前，而是讓小孩自動産生走向書桌的意願。若父母强制他走向書桌，不僅不能提高用功效率，也無法使他用功。但若父母巧妙的誘導，也可使小孩有意願著手用功。這個方法即是我所說的「設計」，只有家長做得到。

本書所說的便是爲設計而給的暗示，可以不必逐字按書中所說去做，應配合小孩的年齡及個性，由父母本身設計出對小孩有利的用功法。

大展出版社有限公司	圖書目錄

地址：台北市北投區11204
致遠一路二段12巷1號
郵撥： 0166955～1
電話：(02) 8236031
8236033
傳眞：(02) 8272069

・法律專欄連載・電腦編號 58

台大法學院 法律學系／策劃
法律服務社／編著

①別讓您的權利睡著了[1]	200元
②別讓您的權利睡著了[2]	200元

・秘傳占卜系列・電腦編號 14

①手相術	淺野八郎著	150元
②人相術	淺野八郎著	150元
③西洋占星術	淺野八郎著	150元
④中國神奇占卜	淺野八郎著	150元
⑤夢判斷	淺野八郎著	150元
⑥前世、來世占卜	淺野八郎著	150元
⑦法國式血型學	淺野八郎著	150元
⑧靈感、符咒學	淺野八郎著	150元
⑨紙牌占卜學	淺野八郎著	150元
⑩ＥＳＰ超能力占卜	淺野八郎著	150元
⑪猶太數的秘術	淺野八郎著	150元
⑫新心理測驗	淺野八郎著	160元

・趣味心理講座・電腦編號 15

①性格測驗１	探索男與女	淺野八郎著	140元
②性格測驗２	透視人心奧秘	淺野八郎著	140元
③性格測驗３	發現陌生的自己	淺野八郎著	140元
④性格測驗４	發現你的真面目	淺野八郎著	140元
⑤性格測驗５	讓你們吃驚	淺野八郎著	140元
⑥性格測驗６	洞穿心理盲點	淺野八郎著	140元
⑦性格測驗７	探索對方心理	淺野八郎著	140元
⑧性格測驗８	由吃認識自己	淺野八郎著	140元
⑨性格測驗９	戀愛知多少	淺野八郎著	160元

⑩性格測驗10 由裝扮瞭解人心	淺野八郎著	140元
⑪性格測驗11 敲開內心玄機	淺野八郎著	140元
⑫性格測驗12 透視你的未來	淺野八郎著	140元
⑬血型與你的一生	淺野八郎著	160元
⑭趣味推理遊戲	淺野八郎著	160元
⑮行爲語言解析	淺野八郎著	160元

・婦 幼 天 地・電腦編號16

①八萬人減肥成果	黃靜香譯	180元
②三分鐘減肥體操	楊鴻儒譯	150元
③窈窕淑女美髮秘訣	柯素娥譯	130元
④使妳更迷人	成 玉譯	130元
⑤女性的更年期	官舒妍編譯	160元
⑥胎內育兒法	李玉瓊編譯	150元
⑦早產兒袋鼠式護理	唐岱蘭譯	200元
⑧初次懷孕與生產	婦幼天地編譯組	180元
⑨初次育兒12個月	婦幼天地編譯組	180元
⑩斷乳食與幼兒食	婦幼天地編譯組	180元
⑪培養幼兒能力與性向	婦幼天地編譯組	180元
⑫培養幼兒創造力的玩具與遊戲	婦幼天地編譯組	180元
⑬幼兒的症狀與疾病	婦幼天地編譯組	180元
⑭腿部苗條健美法	婦幼天地編譯組	180元
⑮女性腰痛別忽視	婦幼天地編譯組	150元
⑯舒展身心體操術	李玉瓊編譯	130元
⑰三分鐘臉部體操	趙薇妮著	160元
⑱生動的笑容表情術	趙薇妮著	160元
⑲心曠神怡減肥法	川津祐介著	130元
⑳內衣使妳更美麗	陳玄茹譯	130元
㉑瑜伽美姿美容	黃靜香編著	150元
㉒高雅女性裝扮學	陳珮玲譯	180元
㉓蠶糞肌膚美顏法	坂梨秀子著	160元
㉔認識妳的身體	李玉瓊譯	160元
㉕產後恢復苗條體態	居理安・芙萊喬著	200元
㉖正確護髮美容法	山崎伊久江著	180元
㉗安琪拉美姿養生學	安琪拉蘭斯博瑞著	180元
㉘女體性醫學剖析	增田豐著	220元
㉙懷孕與生產剖析	岡部綾子著	180元
㉚斷奶後的健康育兒	東城百合子著	220元
㉛引出孩子幹勁的責罵藝術	多湖輝著	170元
㉜培養孩子獨立的藝術	多湖輝著	170元

㉝子宮肌瘤與卵巢囊腫	陳秀琳編著	180元
㉞下半身減肥法	納他夏・史達賓著	180元
㉟女性自然美容法	吳雅菁編著	180元
㊱再也不發胖	池園悅太郎著	170元
㊲生男生女控制術	中垣勝裕著	220元
㊳使妳的肌膚更亮麗	楊　皓編著	170元

・青 春 天 地・電腦編號 17

①A血型與星座	柯素娥編譯	120元
②B血型與星座	柯素娥編譯	120元
③O血型與星座	柯素娥編譯	120元
④AB血型與星座	柯素娥編譯	120元
⑤青春期性教室	呂貴嵐編譯	130元
⑥事半功倍讀書法	王毅希編譯	150元
⑦難解數學破題	宋釗宜編譯	130元
⑧速算解題技巧	宋釗宜編譯	130元
⑨小論文寫作秘訣	林顯茂編譯	120元
⑪中學生野外遊戲	熊谷康編著	120元
⑫恐怖極短篇	柯素娥編譯	130元
⑬恐怖夜話	小毛驢編譯	130元
⑭恐怖幽默短篇	小毛驢編譯	120元
⑮黑色幽默短篇	小毛驢編譯	120元
⑯靈異怪談	小毛驢編譯	130元
⑰錯覺遊戲	小毛驢編譯	130元
⑱整人遊戲	小毛驢編著	150元
⑲有趣的超常識	柯素娥編譯	130元
⑳哦！原來如此	林慶旺編譯	130元
㉑趣味競賽100種	劉名揚編譯	120元
㉒數學謎題入門	宋釗宜編譯	150元
㉓數學謎題解析	宋釗宜編譯	150元
㉔透視男女心理	林慶旺編譯	120元
㉕少女情懷的自白	李桂蘭編譯	120元
㉖由兄弟姊妹看命運	李玉瓊編譯	130元
㉗趣味的科學魔術	林慶旺編譯	150元
㉘趣味的心理實驗室	李燕玲編譯	150元
㉙愛與性心理測驗	小毛驢編譯	130元
㉚刑案推理解謎	小毛驢編譯	130元
㉛偵探常識推理	小毛驢編譯	130元
㉜偵探常識解謎	小毛驢編譯	130元
㉝偵探推理遊戲	小毛驢編譯	130元

㉞趣味的超魔術	廖玉山編著	150元
㉟趣味的珍奇發明	柯素娥編著	150元
㊱登山用具與技巧	陳瑞菊編著	150元

・健 康 天 地・電腦編號 18

①壓力的預防與治療	柯素娥編譯	130元
②超科學氣的魔力	柯素娥編譯	130元
③尿療法治病的神奇	中尾良一著	130元
④鐵證如山的尿療法奇蹟	廖玉山譯	120元
⑤一日斷食健康法	葉慈容編譯	150元
⑥胃部強健法	陳炳崑譯	120元
⑦癌症早期檢查法	廖松濤譯	160元
⑧老人痴呆症防止法	柯素娥編譯	130元
⑨松葉汁健康飲料	陳麗芬編譯	130元
⑩揉肚臍健康法	永井秋夫著	150元
⑪過勞死、猝死的預防	卓秀貞編譯	130元
⑫高血壓治療與飲食	藤山順豐著	150元
⑬老人看護指南	柯素娥編譯	150元
⑭美容外科淺談	楊啟宏著	150元
⑮美容外科新境界	楊啟宏著	150元
⑯鹽是天然的醫生	西英司郎著	140元
⑰年輕十歲不是夢	梁瑞麟譯	200元
⑱茶料理治百病	桑野和民著	180元
⑲綠茶治病寶典	桑野和民著	150元
⑳杜仲茶養顏減肥法	西田博著	150元
㉑蜂膠驚人療效	瀨長良三郎著	150元
㉒蜂膠治百病	瀨長良三郎著	180元
㉓醫藥與生活	鄭炳全著	180元
㉔鈣長生寶典	落合敏著	180元
㉕大蒜長生寶典	木下繁太郎著	160元
㉖居家自我健康檢查	石川恭三著	160元
㉗永恒的健康人生	李秀鈴譯	200元
㉘大豆卵磷脂長生寶典	劉雪卿譯	150元
㉙芳香療法	梁艾琳譯	160元
㉚醋長生寶典	柯素娥譯	180元
㉛從星座透視健康	席拉・吉蒂斯著	180元
㉜愉悅自在保健學	野本二士夫著	160元
㉝裸睡健康法	丸山淳士等著	160元
㉞糖尿病預防與治療	藤田順豐著	180元
㉟維他命長生寶典	菅原明子著	180元

㊱維他命C新效果	鐘文訓編	150元
㊲手、腳病理按摩	堤芳朗著	160元
㊳AIDS瞭解與預防	彼得塔歇爾著	180元
㊴甲殼質殼聚糖健康法	沈永嘉譯	160元
㊵神經痛預防與治療	木下眞男著	160元
㊶室內身體鍛鍊法	陳炳崑編著	160元
㊷吃出健康藥膳	劉大器編著	180元
㊸自我指壓術	蘇燕謀編著	160元
㊹紅蘿蔔汁斷食療法	李玉瓊編著	150元
㊺洗心術健康秘法	竺翠萍編譯	170元
㊻枇杷葉健康療法	柯素娥編譯	180元
㊼抗衰血癒	楊啟宏著	180元
㊽與癌搏鬥記	逸見政孝著	180元
㊾冬蟲夏草長生寶典	高橋義博著	170元
㊿痔瘡・大腸疾病先端療法	宮島伸宜著	180元
51膠布治癒頑固慢性病	加瀨建造著	180元
52芝麻神奇健康法	小林貞作著	170元
53香煙能防止癡呆？	高田明和著	180元
54穀菜食治癌療法	佐藤成志著	180元
55貼藥健康法	松原英多著	180元
56克服癌症調和道呼吸法	帶津良一著	180元
57Ｂ型肝炎預防與治療	野村喜重郎著	180元
58青春永駐養生導引術	早島正雄著	180元
59改變呼吸法創造健康	原久子著	180元
60荷爾蒙平衡養生秘訣	出村博著	180元
61水美肌健康法	井戶勝富著	170元
62認識食物掌握健康	廖梅珠編著	170元
63痛風劇痛消除法	鈴木吉彥著	180元
64酸莖菌驚人療效	上田明彥著	180元
65大豆卵磷脂治現代病	神津健一著	200元
66時辰療法——危險時刻凌晨4時	呂建強等著	元
67自然治癒力提升法	帶津良一著	元
68巧妙的氣保健法	藤平墨子著	元

・實用女性學講座・電腦編號19

①解讀女性內心世界	島田一男著	150元
②塑造成熟的女性	島田一男著	150元
③女性整體裝扮學	黃靜香編著	180元
④女性應對禮儀	黃靜香編著	180元

・校 園 系 列・電腦編號 20

①讀書集中術	多湖輝著	150元
②應考的訣竅	多湖輝著	150元
③輕鬆讀書贏得聯考	多湖輝著	150元
④讀書記憶秘訣	多湖輝著	150元
⑤視力恢復！超速讀術	江錦雲譯	180元
⑥讀書36計	黃柏松編著	180元
⑦驚人的速讀術	鐘文訓編著	170元
⑧學生課業輔導良方	多湖輝著	170元

・實用心理學講座・電腦編號 21

①拆穿欺騙伎倆	多湖輝著	140元
②創造好構想	多湖輝著	140元
③面對面心理術	多湖輝著	160元
④偽裝心理術	多湖輝著	140元
⑤透視人性弱點	多湖輝著	140元
⑥自我表現術	多湖輝著	150元
⑦不可思議的人性心理	多湖輝著	150元
⑧催眠術入門	多湖輝著	150元
⑨責罵部屬的藝術	多湖輝著	150元
⑩精神力	多湖輝著	150元
⑪厚黑說服術	多湖輝著	150元
⑫集中力	多湖輝著	150元
⑬構想力	多湖輝著	150元
⑭深層心理術	多湖輝著	160元
⑮深層語言術	多湖輝著	160元
⑯深層說服術	多湖輝著	180元
⑰掌握潛在心理	多湖輝著	160元
⑱洞悉心理陷阱	多湖輝著	180元
⑲解讀金錢心理	多湖輝著	180元
⑳拆穿語言圈套	多湖輝著	180元
㉑語言的心理戰	多湖輝著	180元

・超現實心理講座・電腦編號 22

①超意識覺醒法	詹蔚芬編譯	130元
②護摩秘法與人生	劉名揚編譯	130元
③秘法！超級仙術入門	陸　明譯	150元

④給地球人的訊息	柯素娥編著	150元
⑤密教的神通力	劉名揚編著	130元
⑥神秘奇妙的世界	平川陽一著	180元
⑦地球文明的超革命	吳秋嬌譯	200元
⑧力量石的秘密	吳秋嬌譯	180元
⑨超能力的靈異世界	馬小莉譯	200元
⑩逃離地球毀滅的命運	吳秋嬌譯	200元
⑪宇宙與地球終結之謎	南山宏著	200元
⑫驚世奇功揭秘	傅起鳳著	200元
⑬啟發身心潛力心象訓練法	栗田昌裕著	180元
⑭仙道術遁甲法	高藤聰一郎著	220元
⑮神通力的秘密	中岡俊哉著	180元
⑯仙人成仙術	高藤聰一郎著	200元
⑰仙道符咒氣功法	高藤聰一郎著	220元
⑱仙道風水術尋龍法	高藤聰一郎著	200元
⑲仙道奇蹟超幻像	高藤聰一郎著	200元
⑳仙道鍊金術房中法	高藤聰一郎著	200元

・養 生 保 健・電腦編號23

①醫療養生氣功	黃孝寬著	250元
②中國氣功圖譜	余功保著	230元
③少林醫療氣功精粹	井玉蘭著	250元
④龍形實用氣功	吳大才等著	220元
⑤魚戲增視強身氣功	宮　嬰著	220元
⑥嚴新氣功	前新培金著	250元
⑦道家玄牝氣功	張　章著	200元
⑧仙家秘傳袪病功	李遠國著	160元
⑨少林十大健身功	秦慶豐著	180元
⑩中國自控氣功	張明武著	250元
⑪醫療防癌氣功	黃孝寬著	250元
⑫醫療強身氣功	黃孝寬著	250元
⑬醫療點穴氣功	黃孝寬著	250元
⑭中國八卦如意功	趙維漢著	180元
⑮正宗馬禮堂養氣功	馬禮堂著	420元
⑯秘傳道家筋經內丹功	王慶餘著	280元
⑰三元開慧功	辛桂林著	250元
⑱防癌治癌新氣功	郭　林著	180元
⑲禪定與佛家氣功修煉	劉天君著	200元
⑳顛倒之術	梅自強著	360元
㉑簡明氣功辭典	吳家駿編	元

㉒八卦三合功	張全亮著	230元

•社會人智囊• 電腦編號 24

①糾紛談判術	清水增三著	160元
②創造關鍵術	淺野八郎著	150元
③觀人術	淺野八郎著	180元
④應急詭辯術	廖英迪編著	160元
⑤天才家學習術	木原武一著	160元
⑥猫型狗式鑑人術	淺野八郎著	180元
⑦逆轉運掌握術	淺野八郎著	180元
⑧人際圓融術	澀谷昌三著	160元
⑨解讀人心術	淺野八郎著	180元
⑩與上司水乳交融術	秋元隆司著	180元
⑪男女心態定律	小田晉著	180元
⑫幽默說話術	林振輝編著	200元
⑬人能信賴幾分	淺野八郎著	180元
⑭我一定能成功	李玉瓊譯	180元
⑮獻給青年的嘉言	陳蒼杰譯	180元
⑯知人、知面、知其心	林振輝編著	180元
⑰塑造堅強的個性	坂上肇著	180元
⑱爲自己而活	佐藤綾子著	180元
⑲未來十年與愉快生活有約	船井幸雄著	180元

•精 選 系 列• 電腦編號 25

①毛澤東與鄧小平	渡邊利夫等著	280元
②中國大崩裂	江戶介雄著	180元
③台灣•亞洲奇蹟	上村幸治著	220元
④7-ELEVEN高盈收策略	國友隆一著	180元
⑤台灣獨立	森 詠著	200元
⑥迷失中國的末路	江戶雄介著	220元
⑦2000年5月全世界毀滅	紫藤甲子男著	180元
⑧失去鄧小平的中國	小島朋之著	220元

•運 動 遊 戲• 電腦編號 26

①雙人運動	李玉瓊譯	160元
②愉快的跳繩運動	廖玉山譯	180元
③運動會項目精選	王佑京譯	150元
④肋木運動	廖玉山譯	150元

⑤測力運動	王佑宗譯	150元

•休閒娛樂• 電腦編號27

①海水魚飼養法	田中智浩著	300元
②金魚飼養法	曾雪玫譯	250元

•銀髮族智慧學• 電腦編號28

①銀髮六十樂逍遙	多湖輝著	170元
②人生六十反年輕	多湖輝著	170元
③六十歲的決斷	多湖輝著	170元

•飲食保健• 電腦編號29

①自己製作健康茶	大海淳著	220元
②好吃、具藥效茶料理	德永睦子著	220元
③改善慢性病健康茶	吳秋嬌譯	200元

•家庭醫學保健• 電腦編號30

①女性醫學大全	雨森良彥著	380元
②初爲人父育兒寶典	小瀧周曹著	220元
③性活力強健法	相建華著	200元
④30歲以上的懷孕與生產	李芳黛編著	元

•心靈雅集• 電腦編號00

①禪言佛語看人生	松濤弘道著	180元
②禪密教的奧秘	葉逯謙譯	120元
③觀音大法力	田口日勝著	120元
④觀音法力的大功德	田口日勝著	120元
⑤達摩禪106智慧	劉華亭編譯	220元
⑥有趣的佛教研究	葉逯謙編譯	170元
⑦夢的開運法	蕭京凌譯	130元
⑧禪學智慧	柯素娥編譯	130元
⑨女性佛教入門	許俐萍譯	110元
⑩佛像小百科	心靈雅集編譯組	130元
⑪佛教小百科趣談	心靈雅集編譯組	120元
⑫佛教小百科漫談	心靈雅集編譯組	150元
⑬佛教知識小百科	心靈雅集編譯組	150元

國家圖書館出版品預行編目資料

學生課業輔導良方/多湖輝著；沈永嘉譯
——初版，——臺北市，大展，民86
面；　公分，——（校園系列；8）
譯自：小學生のぅちにやってわきたぃ勉强のしつけ
ISBN 957-557-683-7（平裝）

1. 閱讀法　2. 輔導（教育）

019.1　86001196

原書名：小學生のぅちにやってわきたぃ勉強のしつけ
原著作者：多湖輝　©Akira Tago 1995
原出版者：株式會社ごま書房
版權仲介：宏儒企業有限公司

學生課業輔導良方

ISBN 957-557-683-7
原著者/多　湖　輝
編譯者/沈　永　嘉
發行人/蔡　森　明
出版者/大展出版社有限公司
社　址/台北市北投區（石牌）致遠一路2段12巷1號
電　話/（02）8236031·8236033
傳　真/（02）8272069
郵政劃撥/0166955-1
登記證/局版臺業字第2171號
承印者/高星企業有限公司
裝　訂/日新裝訂所
排版者/弘益電腦排版有限公司
初　版/1997年（民86年）3月

定　價/180元

大展好書　好書大展

大展好書 好書大展